D1158944

ENSAYISTAS HISPANICOS

LA POESIA
DE
SAN JUAN DE LA CRUZ

(DESDE ESTA LADERA)

DAMASO ALONSO

LA POESIA DE SAN JUAN DE LA CRUZ

(DESDE ESTA LADERA)

AGUILAR

CUARTA EDICION, 1966

(TERCERA EN LA EDITORIAL AGUILAR
Y SEGUNDA EN ESTA COLECCION)

NÚM. RGTRO.: 5751.—65.
DEPÓSITO LEGAL. V. 1725.—1966.

Printed in Spain. Impreso en España por Tipografía Artística Puertes, S. A
Palleter, 40, Valencia.—Julio de 1966.

NOTA EDITORIAL

DÁMASO *Alonso nació en Madrid en 1898. Ha enseñado durante muchos años lengua y literatura españolas en las Universidades de Berlín, Cambridge, Oxford, Stanford (California), Hunter College y Columbia (Nueva York) y Leipzig. En 1933 ganó la cátedra de Lengua y Literatura españolas de la Universidad de Valencia, y actualmente desempeña la de Filología Románica de la Universidad de Madrid.*

Perteneció desde 1921 al Centro de Estudios Históricos, de cuyos cursos para extranjeros fue director varios años.

Miembro de número de las Reales Academias Española y de la Historia. Miembro extranjero de la Accademia Nazionale dei Lincei, *de la* Arcadia, Accademia Letteraria Italiana, *de* The American Philosophical Society. *Miembro de número de* The Hispanic Society of America. *Miembro de Honor de* The Modern Language Association of America *y de* The American Association of Teachers of Spanish and Portuguese. *Correspondiente de la* Bayerische Akademie der Wissenschaften.

Doctor honoris causa *de las Universidades de San Marcos, de Lima (Perú), Burdeos (Francia), Hamburgo y Friburgo de Brisgovia (Alemania), Roma (Italia), Oxford (Inglaterra) y Nacional de Costa Rica.*

Como conferenciante ha recorrido en múltiples viajes los Estados Unidos, Méjico, Costa Rica, Panamá y la mayor parte de América del Sur, así como Alemania, Suiza, Bélgica, Inglaterra, Francia y Portugal. Desde 1948 ha explicado cursos, como «Visiting Professor» en las Universidades norteamericanas de Yale (dos veces), Johns Hopkins y Harvard.

VERSO:

Poemas puros. Poemillas de la ciudad. Madrid, 1921 (agotado).
Oscura noticia. 3.ª edición. Madrid. 1959.
Hijos de la ira (Diario íntimo). Madrid, 1944. 3.ª ed., Madrid, 1958. Trad. alemana por K. A. Horst, Ed. Suhrkamp, Berlín y Frankfurt, 1954. Trad. italiana por G. Chiarini, ed. Vallecchi (en prensa).
Hombre y Dios. 2.ª ed. Madrid, 1959. Trad. italiana por O. Macrí, Ed. Scheiwiller, Milán, 1962.
Gozos de la vista (en prensa).

CRITICA E HISTORIA DE LA LITERATURA:

Temas gongorinos. Madrid, 1927 (agotado).
La lengua poética de Góngora (Premio Nacional de Literatura, 1928). 3.ª ed., Madrid, 1961.
Versos plurimembres y poemas correlativos. Madrid, año 1944 (agotado).
Ensayos sobre poesía española. Madrid, 1945 (2.ª edición, Buenos Aires, 1946) (agotado).
La poesía de San Juan de la Cruz (Desde esta ladera). Consejo Superior de Investigaciones Científicas. Madrid, 1942 (Premio Fastenrath, de la Real Academia Española). Es el libro que se reimprime aquí. Traducción italiana, ed. Abete, Roma, 1965.
Vida y obra de Medrano, I. Madrid, 1948; II, Edición crítica (en colaboración con Stephen Reckert), Madrid, 1958.
Poesía española. Ensayo de métodos y límites estilísticos, 4.ª ed., Madrid, 1962. Traducciones: portuguesa, ed. Instituto Nacional do Livro, Río de Janeiro, 1960; alemana, ed. Francke, Berna, 1962; italiana, ed. Il Mulino, Bolonia, 1965.
Seis calas en la expresión literaria española (en colaboración con Carlos Bousoño), 3.ª ed., Madrid, 1963.
Poetas españoles contemporáneos, 3.ª ed., Madrid, 1965.
Estudios y ensayos gongorinos, 2.ª ed., 1960.
La primitiva épica francesa a la luz de una «Nota Emilianense», Madrid, 1954 (agotado).

Menéndez Pelayo, crítico literario (Las palinodias de don Marcelino), Madrid, 1956.

De los siglos oscuros al de oro (Notas y artículos a través de setecientos años de letras españolas), 2.ª ed., Madrid, 1964.

Primavera temprana de la literatura europea, Madrid, 1960.

Del Siglo de Oro a este siglo de siglas, Madrid, 1962.

Góngora y el Polifemo, 2 vols. (I Estudio preliminar y Antología gongorina; II Edición del «Polifemo»), 4.ª ed., Madrid, 1961.

Cuatro poetas españoles (Garcilaso, Góngora, Maragall, Antonio Machado), Madrid, 1962.

Dos españoles del Siglo de Oro (I. Un poeta madrileñista, latinista y francesista en la mitad del Siglo XVI; II. El Fabio de la «Epístola Moral»: su cara y cruz en Méjico y en España), Madrid, 1960.

Existen dos antologías de la obra de Dámaso Alonso (como poeta y como crítico literario, respectivamente):

Antología: Creación (Selección de Vicente Gaos), Madrid, 1956.

Antología: Crítica (Selección de Vicente Gaos), Madrid, 1956.

EDICIONES, PROLOGOS Y NOTAS:

Soledades de don Luis de Góngora. 3.ª ed., Madrid, 1956.

Poesías de don Luis Carrillo. Madrid, 1936 (agotado).

El «Hospital de los podridos» y otros entremeses alguna vez atribuidos a Cervantes. Madrid, 1936 (agotado).

Poesía de la Edad Media y poesía de tipo tradicional (Antología) (2.ª edición). Buenos Aires, 1942 (agotado).

Erasmo: El Enquiridion. Madrid, 1932 (agotado).

Poesías de Gil Vicente. 2.ª ed., Méjico, 1940 (agotado).

Tragicomedia de don Duardos, de Gil Vicente, Madrid, 1942 (agotado).

Cancionero antequerano (en colaboración con Rafael Ferreres), Madrid, 1950.

Antología de la poesía española. Poesía de tipo tradicional (en colaboración con José M. Blecua) 2.ª ed., Madrid, 1964.

Góngora. Romance de Angélica y Medoro, Madrid, 1962.

NOTA QUE FIGURABA AL FRENTE DE LA TERCERA EDICION

Al preparar para la imprenta esta tercera edición de la presente obra apenas he introducido modificaciones en el texto. La más importante, quizá, habrá sido la persecución y destrucción de la palabra «cosante» que en 1942 (fecha de la primera edición) todos usábamos para designar las coplas paralelísticas del cancionero gallegoportugués. Nos hemos librado de ese error gracias a los eruditos y afortunados estudios de Eugenio Asensio. Y así el «cosante» (como antes su hermano mayor, las «coplas de ledino») ha dejado el mundo de los seres vivos. Espero que no se me haya escapado por ningún pasaje.

Si en el texto he hecho pocos cambios, he introducido algunos de más importancia en las notas, para informar al lector sobre trabajos recientes, que modifican tal o cual pormenor o que merecían ser contestados. No es el fin de este libro el apurar pormenores eruditos, sino interpretar y valorar estéticamente la poesía de San Juan de la Cruz, y comunicar, del modo más directo posible, esa valoración al lector.

Mayo de 1958.

SOBRE ESTA CUARTA EDICION

La presente edición es reimpresión exacta del texto de la tercera.

Mayo de 1966.

LA POESIA
DE
SAN JUAN DE LA CRUZ

DEDICATORIA

DESDE ESTA LADERA...

ESCRIBO *en medio de la «primavera delgada» de Jorge Guillén. Aún queda alguna flor en los perales. Los niños almendrucos ahora se están hinchando y rompiendo la rosada camisilla de sus primeros días. Se disparan prodigiosamente hacia el cielo los bohordos de los lirios, cohetes limitados que van a deshacerse en dura luz morada. Y pirámides claras o piñas de un blanco purísimo, aún no del todo abiertas sus flores, se encaraman para glorificarse y exhalarse, sobre verdes corazones de hoja, en los arbustos de las lilas.*

¡Qué bien reflorece este Valle de las Lágrimas! Siglo tras siglo, una humanidad doliente y una eterna hermosura, indiferente al dolor. El orgulloso, rudo, tristísimo progreso mecánico no ha logrado sino hacer más universales las heridas. Y hoy día, en cualquier ciudad de los hombres el dolor y el espanto laceran el corazón, como en la aldea más tenebrosa azotada por la plaga, el hambre y la guerra, allá en el fondo de las edades.

Junto a esta indiferencia de la Naturaleza, todos los años de nuevo engalanada, la eterna primavera del arte. Dios nos ha puesto al lado estas dos bellas y correspondientes permanencias, reflejo de su hermosura, como indicios de su rastro, y para aliviarnos así esta agonía de nuestra penosa progresión por la tierra.

Tengo aquí al alcance de la mano, mientras miro este pobre jardín, un librito muy pequeño, en el que se condensa uno de los mayores torrentes de luz y de calor que haya producido el espíritu del hombre: las poesías de San Juan de la Cruz. ¡Qué contraste entre la brevedad de las páginas materiales y la belleza y la inmensidad de su sentido!

Tan grande es el contraste, que sería necio quererlo aclarar del todo del lado humano. Pero también del lado humano, desde esta ladera, podemos contemplar el puro astro de la cima, y estudiarlo, entre nuestra niebla, con nuestros limitados medios.

Esto es lo que he querido hacer en la terrible y bellísima primavera de 1942. Durante estos meses, los poemas de San Juan de la Cruz han sido para mí una fuente de serenidad y de consuelo. Al terminar ahora mi labor, me consideraría pago si este libro llegara hasta algunos de esos pocos hombres que—perdidos en mil diarios afanes—tienen «inteligencia de amor», cuya alma está abierta hacia las artes incógnitas; si les hiciera comprender mejor algo de la belleza más externa de los versos de San Juan de la Cruz; si les hiciera olvidar un momento este cotidiano ludir de la vida, tan dura. Hay mares de sangre en el mundo. El corazón de estos hombres estará ahora en agonía, como el mío. A ellos va dedicado mi trabajo, y ojalá les pueda servir de algún consuelo.

Yo también, desde esta ladera del collado, miro con avidez y nostalgia a la cima.

Chamartín de la Rosa, abril de 1942.

PROLOGO

DESPUÉS de haber alabado la alta espiritualidad de la poesía de fray Luis de León, pasa Menéndez Pelayo a hablar de la de San Juan de la Cruz. He aquí sus palabras: "Pero aún hay una poesía más angélica, celestial y divina, que ya no parece de este mundo, ni es posible medirla con criterios literarios, y eso que es más ardiente de pasión que ninguna poesía profana, y tan elegante y exquisita en la forma, y tan plástica y figurativa como los más valiosos frutos del Renacimiento. Son las *Canciones espirituales* de San Juan de la Cruz... Confieso que me infunden religioso terror al tocarlas. Por allí ha pasado el espíritu de Dios, hermoseándolo y santificándolo todo... Juzgar tales arrobamientos, no ya con el criterio retórico y mezquino de los rebuscadores de ápices, sino con la admiración respetuosa con que juzgamos una oda de Píndaro o de Horacio, parece irreverencia y profanación"[1]. Hasta aquí las palabras del maestro.

Es el mismo espanto que yo—con mucho más motivo—había sentido siempre. Creía que ante la poesía de San Juan de la Cruz lo mejor era admirar y callar. Y esto es lo que quise hacer primero, en estas fiestas conmemorativas de 1942. Fui requerido varias veces para hablar, y me negué siempre. Mas llegó un ruego, que podía ser mandato, y no tuve otro remedio sino obedecer. De unas lecciones universitarias, en Valladolid y en Madrid, ha nacido este librito.

No eran solo las palabras de Menéndez Pelayo lo que producía mi inicial terror, sino un conocimiento elemental de los problemas que entraña la poesía de San Juan de la Cruz. Hoy puedo afirmar rotundamente que son los más dificultosos de la literatura española. De lo menor a lo mayor, de lo material a lo espiritual, se podrían condensar del siguiente modo:

1. Problema de los textos.
2. Problema de las fuentes (literarias y doctrinales).
3. Problema de la crítica literaria de las canciones.
4. Problema de las relaciones mutuas entre poesía y experiencia mística, y entre poesía y comentarios en prosa.

Las cuestiones del cuarto y más arduo problema han sido en buena parte tratadas en el libro de Jean Baruzi, *Saint-Jean de la Croix et le problème de l'expérience mystique*[2], obra de maravilloso rigor metódico, en lo histórico y lo literario, y siempre bella y profunda [3].

El título del presente libro ya indica bien a las claras cómo he querido rehuir este cuarto y espinosísimo problema. Pero las materias espirituales no presentan coyunturas o límites exactos, y esta sima abismal, orillada siempre, volverá a abrirse una y otra vez ante nuestra vista. Nuestra posición ha de ser la de contempladores lejanos de la deslumbrante belleza de estas vislumbres; no la de inquisidores de sus incógnitas.

Voy a separar también casi por completo el problema textual. Este, menos pavoroso que el anterior, no deja de ofrecer grandes dificultades, sobre todo por lo que se refiere a los comentarios en prosa. Las dos ediciones, del P. Gerardo de San Juan de la Cruz y del P. Silverio de Santa Teresa [4], si no rigurosamente críticas, en el sentido estricto de esta expresión, representan esfuerzos generosos y dignos de la mayor alabanza; gracias a ellos podemos hoy leer un texto mucho más próximo al original que el que corría en impresiones anteriores. Pero aún queda mucho por aclarar. Por fortuna, el problema de los textos no afecta gravemente a la poesía, salvo en lo que atañe al *Cántico espiritual* [5], del que existen tres estados diferentes, y a la admisión o no admisión como auténticas de algunas poesías de menor importancia [6]. Las diferentes redacciones del *Cántico* las vamos a considerar solo desde un punto de vista estético; en cuanto a las poesías no centrales, no hemos de tratar sino de aquellas que son de autenticidad indudable.

La cuestión de las fuentes ha sido tratada en las obras de Baruzi y del P. Crisógono, mencionadas más arriba. La parte problemática es aún sumamente densa. Una nueva y maravillosa perspectiva han abierto los admirables estudios de don Miguel Asín [7]. Son las fuentes literarias de las poesías lo único discutido en la presente obra; las fuentes doctrinales quedan en absoluto ajenas a mi empeño.

Esquivadas esas zonas que apenas rozaremos, unas por su abismal profundidad y otras por insignificantes para nuestro propósito, voy a dirigir mi atención hacia el problema literario que plantea esta extraña poesía. De su alto valor no puede haber quien dude. Voy a considerarla como un fenómeno literario normal: con antecedentes y con una eficacia que del lado humano requiere explicación. ¿En qué raíces se sustenta? ¿A qué debe su permanente juventud?

El problema se desdobla, pues, así: ¿En qué relación está la poesía de San Juan de la Cruz con la tradición literaria, inmediata o mediata, que existía en su tiempo? ¿En qué reside la fuerza de su prodigiosa virtualidad estética que aún hondamente, exquisitamente, nos perturba? He aquí los temas y también las partes de esta obra [8].

I

DOS SENDAS

No conocemos los primeros pasos del escritor. ¿Cuándo recibió el claro mensaje de la poesía, esa estigmatización súbita que a veces sella la vida del hombre y que le dota como de un segundo espíritu, vertiéndole hacia las voces desconocidas? Del Juan de Yepes que en Medina del Campo pasa de niño a adolescente, del joven novicio fray Juan de Santo Matía, estudiante en Salamanca, sabemos muy poco. De unas cartas de Santa Teresa[9] se deduce que San Juan de la Cruz tuvo ya en su juventud cierta actividad literaria. Pero los escritos que pudiera poseer en el convento de la Encarnación, de Avila, debieron de perderse cuando el encarcelamiento en Toledo en 1577. Existe un testimonio según el cual el santo, con motivo de su detención, rompió "muchos papeles" y aun se comió otros "por ser cosas secretas lo que en ellos había". ¿Cartas? ¿Obras literarias?

Pasan los lentos meses de encierro en el convento de los Carmelitas Calzados, de Toledo. Y un día, el ser alado ha huido de su jaula. Es el 16 de agosto de 1578. Y mientras los frailes calzados se maravillan de la huida y buscan al fugitivo, este se ha refugiado en el convento de las Carmelitas Descalzas. Se ha repuesto un poco comiendo "unas peras asadas con canela", y ahora, en la iglesia del convento, está recitando unos romances que había compuesto en la cárcel. El santo recita, las monjas oyen, una los va copiando con lenta unción. Otros testimonios del proceso de beatificación acreditan que en la prisión había compuesto también parte de las estrofas del *Cántico espiritual* y unas coplas que dicen: "Que bien sé yo la fonte que mana y corre aunque es de noche." También hay quien afirma que compuso allí las estrofas de la *Noche oscura,* pero esto es dudoso [10].

Luego vendrá el completar la redacción del poema del *Cántico,* la composición del de la *Noche oscura* (si no hacemos caso del testimonio aludido), el poema de la *Llama,* el del *Pastorcico,* unas cuantas glosas a lo divino y el ingente trabajo de los comentarios. Pero lo esencial para nosotros, y que no debemos olvidar nunca, es que, de las obras que conocemos, las primeras fueron poemas, y los tratados doctrinales vinieron después, en forma de comentarios en prosa a las poesías. He aquí una estricta ordenación intelectual: primero, el impulso, el anhelo, el fervor; solo después la madurada introspección, la rígida ordenación, el demorado análisis. Y así, en ese maravilloso ejemplo literario que nos ofrece San Juan de la Cruz, poeta que se comenta científicamente a sí mismo (pensemos en Góngora y sus comentaristas, fundidos en una sola pieza), lo primero fue el poeta, la voz lírica; el tratadista de teología mística surge más tarde.

Y nos encontramos poesías en metro endecasílabo, manera italiana; y poesías en metro octosílabo, manera castellana tradicional. Dos sendas que llegan a nosotros y que nos invitan a una doble exploración: tras los elementos cultos, tras los elementos populares.

II

RAIZ ESPAÑOLA

LA TRADICION CULTA

1

GARCILASO

¿INFLUJO DE FRAY LUIS DE LEON?

AL ir a estudiar los elementos cultos de esta poesía, resalta antes que nada la versificación. Y surge la cuestión de la lira. Conocido es el camino: poesía italiana, Garcilaso, fray Luis, San Juan de la Cruz. Inmediatamente nos asalta una duda acerca de los últimos términos. ¿Existe, con seguridad, esa tradición de la estrofa, de fray Luis a San Juan de la Cruz? Y si en este punto hay realmente vínculo entre ambos nombres, ¿sería tal vez absurdo imaginar una inversa ordenación de los dos términos?

A la primera pregunta no hay modo de responder con absoluta certeza. La *Ode ad florem Gnidi* había causado especial impresión entre los lectores del siglo XVI, y así, la forma estrófica de las liras se difunde pronto. A mediados de siglo, como pieza ya célebre, sirve para la parodia: Hernando de Acuña escribe su *Lira de Garcilaso contrahecha* contra Jerónimo de Urrea. Hacia la época en que San Juan de la Cruz comienza a escribir sus poemas, la lira era una estrofa ya ampliamente usada. Si abrimos un libro como el *Tesoro de varias poesías,* de Pedro de Padilla, Madrid, 1580 (pero los preliminares nos llevan a 1579; hay que suponer, pues, que el grueso volumen está escrito durante varios años anteriores a esa fecha), nos encontramos con gran profusión de liras [11] a lo largo de la obra. No es, pues, indispensable pensar que esta forma estrófica pasara de fray Luis a San Juan de la Cruz. Sin embargo...

La cronología de los poemas de fray Luis de León no es, ni mucho menos, segura. Yo, por lo menos, siempre he dudado de ciertas seguridades de Bell [12]. Pero unos catorce años más viejo que San Juan de la Cruz, parece casi seguro que cuando el santo llega en 1564 a estudiar a Salamanca, fray Luis de León era ya, no solo poeta original, sino con alguna fama entre el ambiente universitario. Es probable que, revueltos con anotaciones de Súmulas y Digestos, entreveradas de versos macarrónicos y vidas pupilares, figuraran ya poesías del autor de la *Vida retirada,* o atribuidas a él, en los cartapacios de apuntes estudiantiles, como habían de figurar abundantemente en los fines del siglo [13]. Cuando San Juan comienza su carrera poética en la prisión de Toledo, hacía más de un año que fray Luis de León, ya varón famoso, había salido de las cárceles inquisitoriales, aureolado por la inocencia. La lira, estrofa pagana de Garcilaso, se espiritualiza en fray Luis, se diviniza en San Juan de la Cruz. No conocemos la difusión de la obra temprana de fray Luis; no nos dice nada tampoco el hecho de que San Juan de la Cruz escribiera en liras (pues eran instrumento ya general); lo que nos lleva a pensar en que fray Luis influye en este punto en San Juan es, junto con la mayor edad del profesor de Salamanca, la naturalidad de ese proceso de despaganización (profanidad, espiritualidad, divinidad), que parece escala de crecimiento vital, orgánico.

Otra cosa sería pensar si en los años de carrera literaria común, desde 1578 hasta ese de 1591, que con extraña coincidencia arrebata de la vida mortal a los dos máximos poetas de España, pudo haber algún influjo de signo contrario, del más joven sobre el más viejo. Problema, por ahora y tal vez para siempre, insoluble. Ambos inéditos como poetas, las obras de los dos corrían en manuscritos, aunque por medios, en general, diferentes [14]. Solo tenemos algún testimonio según el cual, probablemente hacia el fin de su vida, fray Luis conoció y veneró las obras del que había de figurar como su perenne compañero en los cielos de la poesía de España [15].

El orden es, pues, Garcilaso, fray Luis, San Juan de la Cruz. El adivinar aquí un primer influjo, indirecto, de Garcilaso, nos lleva a rastrear otras huellas de su poesía.

LA HUELLA DE GARCILASO. BARUZI

Ha sido Baruzi quien por primera vez se ha parado a estudiar con algún detenimiento la influencia ejercida por Garcilaso sobre San Juan de la Cruz. Son varios los lugares o las expresiones de uno y otro poeta, que pone en relación; mas la relación misma es muy quebradiza, muy tenue. Y el único ejemplo de evidente imitación entre los que cita, no viene sino de modo indirecto de Garcilaso [16].

No creo que sea necesario traer aquí una síntesis literaria al uso, para afirmar que San Juan de la Cruz no podía ignorar al gran poeta cuyo rastro llena el siglo XVI. Es el argumento de sentido común. Si la buena nueva de Garcilaso no le había llegado antes—y yo creo más razonable suponer que sí [17]—, parece por lo menos que, humanamente pensando, los años de estudiante de Salamanca, cuando nuestro poeta tenía poco más de veinte, no le pudieron dejar sin conocimiento de las vías del italianismo, ciego para la temblorosa luz del estilo nuevo en su estado naciente. La fina tonalidad general de la obra lírica de San Juan de la Cruz nos llevaría, una y otra vez, a afirmarlo. Mas todo esto no pasa de prudente suposición. Hacen falta pruebas.

Las aproximaciones de lugares concretos, aducidas por Baruzi, no llegarían por sí solas a hacer testimonio seguro [18]. Ha sugerido que las líricas exclamaciones del poeta de la *Llama:*

> ¡Oh mano blanda! ¡Oh toque delicado! [19],

parecen recordar las de Nemoroso:

> ¡Oh miserable hado!
> ¡Oh tela delicada!...
> ¿Dó está la blanca mano delicada?... [20].

Por caminos subconscientes, el mismo nombre de Nemoroso podría haber aflorado en el bello verso del *Cántico espiritual:*

> los valles solitarios, nemorosos... [21].

Ciertas expresiones que ocurren varias veces en Garcilaso: "noche tenebrosa, escura", "cárcel tenebrosa" [22], etc., podrían haber encontrado un eco en el poema de la *Noche* y en la fraseología de sus comentarios. El poema del *Pastorcico* representaría el entronque de la pastoral garcilasesca con el sentimiento religioso. En fin, las liras de la canción *A la flor de Gnido,* de Garcilaso,

Si de mi baja lira...

han sido, sin género de dudas, imitadas en la canción que empieza:

Si de mi baja suerte... [23].

Mas Baruzi hace ya constar que esta canción no es, ni mucho menos, de autenticidad indiscutible. (Nunca dictaminaré por razones de estilo, que pueden dar muchos chascos. Pero, si fuera menester arriesgar una opinión, yo no la tendría por de San Juan de la Cruz. Lo que importa ahora es que no puede valer como prueba para nuestra indagación actual.)

Baruzi mismo apenas osa intentar la aproximación de otros dos pasajes. La invocación de Nemoroso:

Corrientes aguas, puras, cristalinas;
árboles que os estáis mirando en ellas... [24].

Y el conjuro del Esposo a los seres de la Naturaleza en el *Cántico espiritual:*

A las aves ligeras...,
montes, valles, riberas,
aguas, aires, ardores... [25].

Hay algún parecido en la enumeración misma y en las cosas enumeradas. Eso es todo.

LA HUELLA DE GARCILASO.
EL P. CRISOGONO

Por su parte, el P. Crisógono[26] ha aumentado la lista de semejanzas de Baruzi. Existe cierta semejanza de sentido—todavía remota—entre los versos de la *Egloga primera:*

> ...busquemos otro llano,
> busquemos otros montes y otros ríos,
> otros valles floridos y sombríos...[27].

y los del *Cántico:*

> Gocémonos, Amado,
> y vámonos a ver en tu hermosura
> al monte y al collado,
> do mana el agua pura,
> entremos más adentro en la espesura...[28].

Y creo que el P. Crisógono acierta plenamente al observar el parecido entre este pasaje de San Juan de la Cruz:

> En solo aquel cabello
> que en mi cuello volar consideraste,
> mirástele en mi cuello...[29],

y aquel cuarteto de un diáfano soneto de Garcilaso:

> Y en tanto que el cabello que en la vena
> del oro se escogió, con vuelo presto,
> por el hermoso cuello blanco, enhiesto,
> el viento mueve, esparce y desordena...[30].

Este bello lugar impresionó también profundamente a otros de nuestros mejores poetas. El influjo es evidente en Góngora, en soneto de tema análogo:

> Y mientras con gentil descortesía
> mueve el viento la hebra voladora
> que la Arabia en sus venas atesora
> y el rico Tajo en sus arenas cría...[31].

Mas a este tema del cabello hemos de volver varias veces más tarde.

También insiste el P. Crisógono en la base garcilasesca, ya señalada por Baruzi, de expresiones y giros de la *Llama.* A las indicadas antes *(tela, mano delicada)* añade la voz *encuentro* ("rompe la tela de este dulce encuentro...")[32], que ocurre también con sentido amoroso en Garcilaso:

> de vuestra hermosura el duro encuentro[33].

LA HUELLA DE GARCILASO.
MARIA ROSA LIDA

Aún María Rosa Lida, en su erudito trabajo *Transmisión y recreación de temas grecolatinos en la poesía lírica española*[34], ha vuelto a tratar de las relaciones entre Garcilaso y San Juan de la Cruz. La expresión de la *Llama*

> rompe la tela deste dulce encuentro

es muy próxima a otras de la *Egloga primera* y de la *segunda:*

> ...este velo
> rompa del cuerpo...
> ...do se rompiere
> aquesta tela de la vida fuerte...

(Y aún habría que agregar que los comentarios no dejan lugar a dudas sobre el sentido del verso "rompe la tela deste dulce encuentro": "como si dijera: ...rompe la tela delgada de esta vida y no la dejes llegar a que la edad y años naturalmente la corten")[35]. Otros pasajes del poeta toledano parece como que se reflejan en el *Cántico espiritual.* He aquí el "prado de verdura". En Garcilaso:

Ves aquí un prado lleno de verdura...

...preséntanos a colmo el prado flores
y esmalta en mil colores su verdura...

En el *Cántico:*

¡Oh prado de verduras
de flores esmaltado...![36]

He aquí ahora la "espesura", "el agua pura". En Garcilaso:

Ves aquí una espesura,
ves aquí un agua clara...

...en esta agua que corre clara y pura...

En el *Cántico:*

...do mana el agua pura,
entremos más adentro en la espesura...[37]

Si observamos ahora las aproximaciones intentadas por Baruzi, el P. Crisógono y María Rosa Lida—unas con valor probatorio; otras, vagos parecidos, que por sí solos no tendrían fuerza—, notamos que las semejanzas se condensan, sobre todo, en Garcilaso, sobre la *Egloga segunda,* y en San Juan, en primer lugar, sobre la *Llama de amor viva,* y, en seguida, sobre el *Cántico.* Resulta curiosa esta preferencia por la *Egloga segunda,* de pasajes bellísimos, pero que hoy en su conjunto juzgamos menos atrayente que las otras dos. Más adelante hemos de comprender la causa.

AMBIENTE GARCILASESCO DE LA «LLAMA» Y DEL «CANTICO»

Aún podríamos nosotros añadir algo que haga resaltar el ambiente garcilasesco de la *Llama.*

Los dos versos comparados por el P. Crisógono:

> ...rompe la tela deste dulce encuentro
> ...de vuestra hermosura el duro encuentro [38]

riman en uno y otro poeta con la misma palabra, y en versos de parecido conceptual:

> ...de mi alma en el más profundo centro...
> ...vuestro pecho escondido allá en su centro...

La voz *esquiva* ("pues ya no eres esquiva") —aunque existente en una tradición poética anterior—también es del léxico de Garcilaso, y en rima con *viva* (lo mismo que en la *Llama)* aparece en la *Canción primera* [39]. Son demasiadas las coincidencias: las dos primeras estrofas de esta breve *Llama* (que solo tiene cuatro), en sus giros, en su vocabulario, en su imaginería, respiran esencias de Garcilaso de la Vega. La estrofa empleada en esa poesía procede—indirectamente—también de aquel gran artífice (hecho ya conocido sobre el que tendremos que insistir más adelante) [40]. Lo prodigioso es que, siendo esto así, la *Llama* sea al mismo tiempo un poema de pensamiento profundo, de alta y rara originalidad.

Hemos visto también cómo sobre algunos pasajes del *Cántico espiritual* parecían proyectarse —más o menos claros—recuerdos garcilasescos. Aquí, el modelo más cercano es el *Cantar de los Cantares.* Comprobemos cómo la temática y el vocabulario se hurtan a veces a la huella del poema bíblico.

Tal ocurre con el tema de la fuente. Tomemos la estrofa 11 del *Cántico,* que tiene una posición central, decisiva para la estructura del poema:

¡Oh cristalina fuente,
si en esos tus semblantes plateados
formases de repente
los ojos deseados
que tengo en mis entrañas dibujados! [41].

Y la cristalina fuente dibuja en sus espejos el rostro del Amado.

Esta fuente—la fuente de la Fe, según la interpretación de los comentarios en prosa—es, del lado literario humano, consecuencia de una larga tradición (no olvidemos el ambiente pastoril del *Cántico* de San Juan de la Cruz). La larga cadena empieza en lo mitológico y abarca el desarrollo del género pastoral, fuente de Narciso, agua —fuente o serena playa—en que se miran los pastores, desde el monstruoso de Teócrito y Ovidio y el Coridón virgiliano hasta el lloroso Salicio y el aristocrático Albanio de Garcilaso de la Vega. Es el último término el que ahora nos resulta interesante. La fuente, antes elemento incidental en lo pastoril, se convierte en la *Egloga segunda* en lugar donde se centra la acción. Así, el tema de la fuente acompaña al desarrollo de toda la trama. En ella hablan siempre a la fuente, en vocativo—lo mismo que en San Juan de la Cruz—, ninfas y pastores:

¿Sabes que me quitaste, fuente clara,
los ojos de la cara?... [42].

La "fuente" y "los ojos de la cara", "los ojos deseados". Y en otro lugar:

...esta clara fuente,
¡oh claras ondas!...
En vuestra claridad vi mi alegría
oscurecerse toda y enturbiarse... [43].

La fuente ya no sirve solo para que—como en parte de la tradición anterior—se convenzan de su no fealdad los amantes desdeñados. Los pastores de la *Egloga segunda* ven en ella imágenes abstractas, espirituales ("en vuestra claridad vi mi alegría...) o visiones de la desvariada imaginación. Y así pregunta a la fuente el loco Albanio —de un modo semejante al de la Esposa—y en el agua ve el reflejo de una imagen desconocida —la suya propia—:

> ¿Sabrásme decir dél, mi fuente clara?...
> Allá dentro en lo hondo está un mancebo
> de laurel coronado... [44]

El tema de la fuente, que preside a todo el desarrollo de la *Egloga segunda,* se convierte en el *Cántico espiritual* como en bisagra de su estructura, pues sirve para separar la "vía unitiva", articulándola con los grados anteriores. Mas aún falta aquí algo entre los dos poetas: sí, hay un vínculo, un término intermedio, que solo hemos de encontrar más tarde [45].

Todavía resulta más resaltada la prueba que nos va a ofrecer el léxico. Entre las hieráticas palabras procedentes del poema bíblico—*granadas, austro, ciervo, ámbar*...—que dan color y aroma al fondo ambiental del poema de San Juan de la Cruz, hay dos ajenas a ese ambiente y que chocan en seguida al lector. Una, *ninfas* ("¡Oh ninfas de Judea!": son las "filiæ Jerusalem" del *Cantar)* [46]; la otra, *Filomena* ("el canto de la dulce Filomena"...) [47]. Pues bien: ambas son típicas del léxico de Garcilaso. No hay por qué citar ejemplos de la primera de estas voces, presente en la memoria de todo enamorado de la *Egloga tercera* y sus paisajes de agua. *Filomena* existe, por ejemplo, en la *Egloga primera* ("la blanca Filomena... dulcemente responde...") [48].

bisagra = hinge

María Rosa Lida ha comparado [49] con este pasaje de la *Egloga primera* el verso "el canto de la dulce Filomena" de San Juan. Pero hay un lugar de la *Egloga segunda* con el que el parecido es mucho mayor. Dice así:

> ...el viento espira,
> Filomena sospira en dulce canto,
> y en amoroso llanto se amancilla,
> gime la tortolilla sobre el olmo,
> preséntanos a colmo el prado flores, etc. [50].

Coloquemos al lado el comienzo de la estrofa 38 del *Cántico espiritual:*

> El aspirar del aire,
> el canto de la dulce Filomena,
> el soto y su donaire... [51].

Recordemos que "la tortolica... en las riberas verdes" acaba de aparecer en la estrofa 33 del mismo *Cántico,* y, prescindiendo de ella, notemos la perfecta correlación de esos dos pasajes, resellada por la casi identidad de los dos primeros versos:

> ...el viento espira,
> Filomena sospira en dulce canto...

> ...el aspirar del aire,
> el canto de la dulce Filomena.

El anterior ejemplo convencerá, creo, al más reacio. No tanto la semejanza que voy a indicar, curiosa, pero que solo me atrevo a aducir porque ya la podemos interpretar sobre un denso fondo de imitación garcilasesca, y junto a casos más netos y evidentes. Garcilaso, en la *Egloga segunda:*

> La quinta noche, en fin, mi cruda suerte
> queriéndome llevar do se rompiese
> aquesta tela de la vida fuerte,
>
> hizo que de mi choza me saliese
> por el silencio de la noche oscura... [52].

San Juan, poema de la *Noche*.

> En una noche oscura...
> salí sin ser notada
> estando ya mi casa sosegada [53].

Los elementos comunes son muchos: la *noche oscura; salí* = *saliese*; la *casa* = la *choza*; el *silencio* = *sosegada*. Grandes son también, a primera vista, las diferencias. Albanio sale desesperado a buscar la muerte; el alma, abrasada en amores, en busca de la unión. Mas la unión permanente implica la muerte. Y acabamos de ver cómo San Juan de la Cruz interpreta en sentido místico esa expresión garcilasesca del romperse la "tela de la vida":

> Oh llama de amor viva...
> rompe la tela de este dulce encuentro [54].

Nada, pues, de particular que el pasaje de Garcilaso, que dejó una huella en la *Llama*, dejase otra en el poema de la *Noche*.

CONCLUSION PROVISIONAL

Acendremos nuestras impresiones. Tenemos ante nosotros una cadena de muchos términos de comparación. De ellos, la mayor parte, aislados, no harían prueba: mostrarían solo el "espíritu de su siglo" en San Juan de la Cruz, el estar sumergido en el difuso ambiente garcilasesco, general a la poesía de su época. Mas cuando vemos cómo estos indicios vagos se condensan sobre un par de estrofas de la *Llama*, nuestro convencimiento empieza a fraguar. Y llega a firmeza absoluta al observar que algunos de los términos de la cadena tienen mayor fuerza: entre otros, el del "vuelo del cabello" y el del "romper la tela del vivir"; ninguno de una evidencia tan absoluta como el del "aspirar del aire y canto de Filomena", aducido por nosotros. Estos términos, con valor de prueba, vitalizan todos los demás eslabones. Así los miembros más débiles de la cadena se reafirman, y su acumulación llega también a cobrar fuerza probatoria.

Parece, pues, que nos vemos llevados a una inducción en absoluto clara: San Juan de la Cruz habría leído con pasión a Garcilaso, y al escribir sus poemas, unas veces le habría recordado de un modo vago y tal vez no consciente; otras, le habría imitado con deliberado propósito.

Así parece que deberíamos concluir. Mas, por desgracia, tenemos aún que reservar nuestro juicio. En las páginas que siguen vamos a ver cómo entre Garcilaso y San Juan de la Cruz viene a interponerse un nuevo elemento. La aparición de este elemento intermedio nos obligará a revisar nuestras conclusiones.

2

BOSCAN Y GARCILASO A LO DIVINO

La enorme difusión de las obras de Boscán y Garcilaso y su carácter de profanidad amatoria no dejaron de inquietar a asustadizos moralistas [55]. Se produce entonces un fenómeno literario de gran interés, que tiene su precedente y su paralelo en un hecho análogo que venía ocurriendo desde el siglo xv en el campo de la poesía popular [56] y que había tenido también algún antecedente en poesía italiana [57]: a alguien se le ocurre convertir en materia religiosa los locos devaneos de amor [58], dulcemente cantados en aquellos versos: verterlos a lo divino. Sebastián de Córdoba, vecino de Ubeda, imprime en 1575 las *Obras de Boscán y Garcilaso trasladadas a materias cristianas y religiosas.*

Este libro ha sido citado ya repetidas veces cuando se habla de la poesía de San Juan de la Cruz, porque el santo mismo lo menciona en una especie de nota delante de la "Declaración" que antecede a los comentarios de la *Llama de amor viva.* Tal nota, que por figurar en las dos redacciones de dichos comentarios es de autenticidad indudable, reza como sigue: "La compostura de estas liras [59] son como aquellas que en Boscán están vueltas a lo divino, que dicen:

> La soledad siguiendo,
> llorando mi fortuna,
> me voy por los caminos que se ofrecen, etc.,

en las cuales hay seis pies, y el cuarto suena con el primero, y el quinto con el segundo, y el sexto con el tercero" [60]. Baruzi ha estudiado [61] certeramente los problemas que esas palabras suscitan: los versos corresponden al principio de la *Canción segunda* de Garcilaso:

> La soledad siguiendo,
> rendido a mi fortuna,
> me voy por los caminos que se ofrecen...,

pero están citados con la modificación del segundo verso, que aparece en la versión a lo divino de Sebastián de Córdoba [62]. Que en la nótula anterior a la "Declaración" se mencione a Boscán y no a Garcilaso, no debe maravillar: las obras de ambos amigos corrían juntas en un mismo cuerpo, encabezado por el nombre de Boscán. "Un Boscán" significaba, comercialmente y vulgarmente, "las obras de Boscán y Garcilaso". En la misma edición de 1575, de Sebastián de Córdoba, las obras de Garcilaso forman el "cuarto libro"[63] de las de Boscán (como en las impresiones profanas), y los títulos de los folios no llevan sino el nombre del poeta barcelonés ("Boscán a lo divino").

Es, pues, en absoluto evidente que San Juan de la Cruz manejó la versión a lo divino de Boscán y Garcilaso, hecha por Sebastián de Córdoba. Ocurre inmediatamente pensar—aunque la razón rechace el pensamiento como monstruoso—si tal vez la dulce habla del poeta toledano no llegaría nunca hasta San Juan de la Cruz sino a través de la deformación a lo divino perpetrada por Córdoba. He aquí cómo contesta Baruzi a esta pregunta: "Tal suposición sería absurda. Fue mucho antes de 1575 y en la época salmantina[64] cuando San Juan de la Cruz tuvo ocasión de leer a Garcilaso. Todo en su lirismo nos permite pensar que le amó. Son los versos de Garcilaso los que San Juan de la Cruz ha gustado, y, a pesar de las apariencias, son ellos también los que alega. Quizá es por prudencia o por temor a las críticas que pudieran hacerle los lectores ajenos a la vida estética por lo que nos los ofrece en tan turbia mezcolanza. Pero es al texto auténtico al que ha venido a buscar un modelo métrico"[65]. Y, sin embargo, contra nuestra propia razón, contra las muy razonables suposiciones del ilustre crítico francés, no tenemos más remedio que proclamar que, conociera o no directamente, la verdadera voz de Garcilaso (que esto luego lo dilucidaremos)[66], el librejo de Sebastián de Córdoba fue un compañero espiritual de San Juan de la Cruz, que lo leyó detenidamente, que dejó una huella evidente en su altísima poesía. Esta afirmación plantea inmediatamente problemas tan desasosegantes, que necesitamos probarla con algún detenimiento.

Observemos ante todo que el libro de Córdoba tuvo éxito: en 1577 salía en Zaragoza una segunda edición. Y volvámonos en seguida hacia el libro mismo. Nuestra primera impresión es de una admiración hondísima, casi de anonadamiento. ¡Qué hombre, este buen vecino de Ubeda! Porque no es que tome unas cuantas poesías y me las enjarete a lo divino, sino que bonitamente se echa a pechos todo el volumen, bien repleto, de Boscán y Garcilaso y, con una constancia digna de éxito mejor, lo va amoldando a su propósito, poema a poema, casi línea a línea. ¡Y qué cosas se le ocurren! El Salicio y el Nemoroso, que en la *Egloga primera* reprochan y lamentan a Galatea-Elisa, quedan convertidos en Jesucristo y el pecador, que lamentan, el uno, al alma perdida; el otro, sus pecados. Las cuatro ninfas que bordan historias a orillas del Tajo en la *Egloga tercera* hételas metamorfoseadas—sin dejar de ser ninfas—en las Cuatro Virtudes, y al río en el Jordán, con la oportuna adaptación de las bordadas historias. Pero es precisamente en la *Egloga segunda,* con su larga y complicada acción, donde Sebastián de Córdoba va a sacar a plaza los recursos de su ingenio empecatado, donde se va a exceder a sí mismo. Detengámonos aquí.

La ocasión es tan solemne, que el refundidor

espiritual se cree en el caso de anteponer una explicación en prosa. Después de advertirnos que al aristocrático Albanio, de Garcilaso, le ha cambiado en Silvanio, "por la parte sensual del hombre", sigue diciéndonos: "y donde allá se llama otro pastor Salicio, aquí se llama Racinio, por la razón, y la pastora que allá se dice Camila, aquí se llama Celia, que es el alma, y el pastor Nemoroso se llama aquí Gracioso, por la Gracia, con cuya fuerza el hombre vence a sí mismo". La larga narración leonina de la "sucesión de la casa de Alba", que Garcilaso pone en boca de Nemoroso, Córdoba, por boca de Gracioso, la cambia en paralela, larguísima y también leonina enumeración de "algunos patriarcas y reyes de la generación de Jesucristo, sin declarar nombre, excepto el del bienaventurado Sant Joseph, que se pone en lugar de Severo" [67].

En la *Egloga* se va proyectando la acción humana de Garcilaso, a veces verso a verso, otras con divergentes infidelidades que Córdoba, en su carrera riberas del absurdo, se ve forzado a introducir. Y hay que suponer que muy a su pesar. Porque nos imaginamos que el deseo inicial del refundidor debió de ser la conversión de todo el volumen, línea a línea, palabra a palabra, del sentido humano al espiritual. Silvanio (la parte material del hombre) se duele de la esquiveza de Celia (el alma), lo mismo que Albanio lamenta los desdenes de su Camila, en el poema de Garcilaso. El tema central en la *Egloga* de Córdoba es la idea del pecado, que rompe la armonía entre las dos partes de este ser binario que es el hombre. Rota la concordancia en el pecado original, el misterio de la Redención vuelve a hacer posible el equilibrio, pero para ello es menester que la parte inferior y grosera se someta a la más alta e inmaterial. Durante algún tiempo, el alma (Celia) se ha uncido al yugo de los deseos torpes del cuerpo (Silvanio). Su esquiveza no significa otra cosa que su arrepentimiento, la conversión a su verdadero fin. Esta simple transposición alegórica va a ser complicada por el autor mediante la utilización simbólica de dos elementos que le ofrecían los versos de Garcilaso: el árbol (verso 435) y la fuente. A la importancia de esta dentro de la temática de la *Egloga segunda* hemos aludido ya [68].

Para la comprensión de lo que vamos a discutir después, necesito transcribir ahora un pasaje de la *Egloga* a lo divino. Corresponde al que en el poema de Garcilaso empieza con el verso 431:

> Aconteció que en una ardiente siesta,
> viniendo de una fiesta fatigados,
> en el mejor lugar de esta floresta,
>
> en un silencio solos y apartados,
> a la sombra de un árbol aflojamos
> las cuerdas a los miembros trabajados.
>
> En el sombroso pie nos reclinamos,
> y Celia de aquel árbol recogiendo
> no sé qué espir(i)tu [69] de sus sacros ramos,
>
> comenzóme a hablar encareciendo
> de aquel árbol el fruto y la dulzura,
> palabras con gemir entretejendo [70].
>
> Allí estaba una fuente clara y pura,
> que como de cristal resplandecía,
> y al parecer mostraba gran hondura.
>
> Allí como en espejo parecía
> una diversa historia variada,
> puesto que yo miraba y no entendía.

Verdad es que la vi toda cercada
de mil diversidades de ganado,
y de pastor ni sola una pisada.

Solo un pastor estaba levantado
sobre aquel árbol, con el rostro y frente
herido y con espinas coronado.

Celia, que con cuidado diligente
miraba aquel pastor todo sangriento,
haciendo de sus ojos otra fuente,

me hizo firme y fuerte juramento
rogándome que luego le jurase
de renunciar al mundo y su contento,

y, hecho aquesto, no me recelase,
con solo aqueste firme presupuesto,
que a otro, si no a mí, jamás amase... [71].

Pero él duda. Y entonces, Celia, el alma, se va a mirar al espejo de la fuente.

Llegándose ella [a] aquella fuente clara
que como claro espejo relumbraba,
miraba atenta su hermosa cara [72].

¿Qué vio Celia en el espejo de la fuente? Sin duda las manchas y fealdades con las que sus culpas habían alterado la belleza de su rostro. Pero Silvanio no lo sabe. Y sí solo que Celia, al mirarse en la fuente, gimió, y queriendo Silvanio llegarse junto a ella, huyó llena de terror. Queda Silvanio desesperado, loco, y con deseo de poner fin a su vida.

Volvámonos ahora a San Juan de la Cruz.

TEMA DEL ARBOL

Un pastorcico solo está penado,
ajeno de placer y de contento,
y en su pastora puesto el pensamiento,
y el pecho del amor muy lastimado.

Así comienza el poema del *Pastorcico.* La voz de San Juan de la Cruz es aquí muy distinta de lo que en sus otros poemas ha de ser. Siempre habrá en él ternura; pero la de esta poesía es aún más desvaída, más lánguida, más morosa. Nada en ella de la velocidad rítmica e imaginativa que en otros poemas hemos de estudiar. Nada que recuerde las encendidas, hieráticas expresiones ni el ambiente embriagador del *Cantar de los Cantares.*

> No llora por haberle amor llagado,
> que no le pena verse así afligido,
> aunque en el corazón está herido;
> mas llora de pensar que está olvidado.
>
> Que solo de pensar que está olvidado
> de su bella pastora, con gran pena,
> se deja maltratar en tierra ajena,
> el pecho del amor muy lastimado.
>
> Y dice el pastorcico: ¡Ay desdichado
> de aquel que de mi amor ha hecho ausencia,
> y no quiere gozar la mi presencia,
> y el pecho por su amor muy lastimado!...

Los versos no tienen la portentosa nitidez, la hiriente fuerza expresiva que hemos de encontrar en el *Cántico,* en la *Noche,* en la *Llama.* Pero el ambiente es finísimo, delgado, de una extraordinaria sencillez. ¿No es, acaso, el fino sentimiento de la pastoral garcilasesca el que aquí nos encanta? [73]. ¡Con cuántas negaciones, con qué escasez de medios! Un pastor enamorado de una pastora, pastora ingrata que olvida aquel fino amor. Cuatro breves estrofas se han sucedido ya, y el tema insiste, apoyado en la repetición variada del melancólico verso:

> el pecho del amor muy lastimado.

Ni naturaleza (solo un árbol simbólico parecerá en la estrofa última), ni imágenes. Esta dulce poesía no es más que un sentimiento, sin paisaje: un pastorcito herido de amor, deshecho de amor. Mas cerramos los ojos, y el paisaje, ni pintado ni aludido, aparece al fondo: es un paisaje de verdes recientes, ternísimos, húmedos, sobre los que se cierne una neblina muy sutil.

Un pastorcito herido de amor. ¿Es un pastor de Garcilaso? De Garcilaso parecen venir la suavidad, la melancolía, la tierna veladura de la voz. Ni naturaleza, ni imágenes.

Mas llega la estrofa última:

> Y a cabo de un gran rato se ha encumbrado
> en un árbol, do abrió sus brazos bellos,
> y muerto se ha quedado asido de ellos,
> el pecho del amor muy lastimado.

Y ahora comprendemos. Ese árbol es el Arbol de la Cruz; ese pastor es Dios humanizado; esa pastora es el hombre, nuestra alma, y todo el poema, una alegoría del misterio de la Redención. La pastoral se ha entroncado en una alegoría cristiana.

La simbolización del madero de la Cruz en árbol tiene una trayectoria conocida. Con clara simetría, los expositores bíblicos ligan a dos árboles el pecado original y la Redención: *Sub arbore malo suscitavi te: ibi corrupta est mater tua, ibi violata est genitrix tua*[74]. Pero ¿de dónde viene este pastorcico? Baruzi, en las bellas páginas que ha dedicado a comentar este poema, lo coloca como ejemplo del influjo ambiental de Garcilaso. Mas hay otro modelo directo y evidente.

Recordemos—y no lo debemos olvidar en toda esta indagación—que está probado que San

Juan de la Cruz tuvo en sus manos el libro de Sebastián de Córdoba, y evoquemos el pasaje de la *Egloga segunda,* a lo divino, transcrito más arriba [75]. Córdoba, atento a la interpretación simbólica tradicional, ha tomado el árbol que aparece en un solo verso [76] en Garcilaso, y lo ha convertido (junto con la *fuente)* en tema central del pasaje. El árbol de la pastoral se ha cambiado en el árbol de la Cruz: es exactamente el mismo proceso que en el poema del santo. Hasta aquí podía ser coincidencia. La continuación de la imagen ya no puede serlo: y el pastor herido, sangriento, levantado sobre el árbol, en Córdoba, es el mismo pastorcico de San Juan de la Cruz, herido, llagado, encumbrado sobre el árbol simbólico. San Juan de la Cruz:

...el pastorcico...
no llora por haberle amor llagado...,
aunque en el corazón está herido...

Y a cabo de un gran rato se ha encumbrado
sobre un árbol, do abrió sus brazos bellos,
y muerto se ha quedado asido de ellos,
el pecho del amor muy lastimado.

Córdoba:

Solo un pastor estaba levantado
sobre aquel árbol, con el rostro y frente
herido y con espinas coronado.

Celia, que con cuidado diligente
miraba aquel pastor todo sangriento... [77].

En Córdoba reaparece el tema cuando Celia torna al lugar de la fuente (en Garcilaso son los versos 720 y sucesivos):

Si por mi culpa no he perdido el tino,
aquí el pastor divino vi herido,
en una cruz tendido. ¡Oh gran contento!

¡Oh dulce pensamiento que da vida!
¡Oh celestial herida del costado!
¡Oh fuente de tal lado derivada!...
Mira cómo te espera y ve a buscalle,
aquí puedes hallalle, y está, cierto,
en cruz tendido y muerto...[78].

La diferencia entre San Juan de la Cruz y Córdoba es la que va de un enorme poeta a un atrevido (aunque hábil) refundidor. La representación del pastor en el árbol corresponde en Córdoba al trágico realismo de nuestros imagineros: sangre y espinas. San Juan de la Cruz, poco amigo de la meditación de tipo realista[79], atribuye las heridas y llagas al amor y resalta todo lo que hay de voluntario, de amorosa entrega y de hermosura en la muerte del pastorcico en el árbol:

...se ha encumbrado
sobre un árbol, do abrió sus brazos bellos...

Al extraer el tema de su origen, al desintrincarlo de la acción de la *Egloga,* la figura de Celia[80] se proyecta—modificada—sobre la de la ingrata pastora; pero esta Celia, ya pastora—el alma—, no aparece como personaje de la acción y solo es en ella tiernamente y reiteradamente aludida.

Mas dejemos lo secundario. Atendiendo solo a los elementos esenciales, he aquí las coincidencias:

En Córdoba van a fundirse la égloga garcilasesca y el sentimiento cristiano. Exactamente igual en el *Pastorcico*. Que eso era lo característico del *Pastorcico,* Baruzi (sin pensar, claro, en Córdoba) lo había señalado ya.

Córdoba toma un elemento natural de la *Egloga,* el árbol (que en Garcilaso solo aparecía de pasada), y lo convierte en el símbolo de la Redención. El árbol de la égloga sufre la misma transformación en el *Pastorcico*.

Un pastor en espera amorosa, herido, sangriento, está levantado, muerto, sobre el árbol eglógico, ya Arbol redentor, en Córdoba. Y en San Juan de la Cruz, un pastorcico llagado de amor, herido, se ha levantado sobre el árbol de la égloga, ya símbolo de Redención, y se ha quedado allí muerto.

Así en la poesía del santo. Así en el libro de Córdoba, que (ya lo sabíamos, sin duda posible) había sido manejado y leído por San Juan de la Cruz.

Y la turbia adaptación de un lugar de Garcilaso, según la pluma de Córdoba, se convierte en ese poema bellísimo y de luz pálida, que tanto amó mosén Jacinto Verdaguer. Los caminos del arte en San Juan de la Cruz llevan nuestro asombro por las orillas del prodigio [81].

EL TEMA DE LA FUENTE

La mística de todas las épocas ha gustado de utilizar para sus símbolos los elementos más simples, más puros, que la Naturaleza puede ofrecer. Entre estos, el agua ocupa uno de los primeros lugares, por la constancia de su empleo místico, por la variedad y matices de su simbolización.

Etchegoyen ha señalado la transmisión del tema del agua manante—la fuente y el río—en la tradición franciscana de Francisco de Osuna y Bernardino de Laredo: "Los dos místicos franciscanos—dice Etchegoyen—se complacen en mostrar la Trinidad bajo el triple símbolo de la fuente, el río y el mar" [82]. Es indudable que con esta tradición se relaciona el tema del agua en San Juan de la Cruz, tal como aparece tratado en las "coplas" de "Aunque es de noche" (la simbolización de la Trinidad es evidente):

> Aquella eterna fonte está escondida,
> que bien sé yo dó tiene su manida...
>
> El corriente que nace de esta fuente,
> bien sé que es tan capaz y omnipotente...
>
> El corriente que de estas dos procede
> sé que ninguna de ellas le precede...

Pero en una región completamente distinta nos hallamos al pasar del tema del agua manante al del agua estática: la fuente en cuanto superficie en la que se refleja una imagen.

Ya hemos visto[83] cómo este tema ocupa una posición central en el *Cántico,* pues en el agua de la fuente ve la Amada el primer reflejo—intolerable a su humanidad—de los ojos del Amado; por intermedio de la fuente—la Fe—se hace, pues, el primer contacto, instantáneo, del estado de los Desposorios. Y vimos también cuán naturalmente se inserta este momento del *Cántico espiritual* en la larguísima cadena de la tradición bucólica.

Existe otra explicación, que debemos considerar, antes de pasar más adelante. Pfandl[84] ha observado la semejanza entre el citado pasaje del *Cántico* y un episodio del *Caballero Platir.* En un capítulo de esta novela se nos habla de *il fonte della pruova dei leali amanti*[85]. Es una fuente mágica, fabricada de tal arte, que si se mira en ella un caballero que ama con buen amor a una dama, siendo correspondido del mismo modo, el agua alborotada de la fuente se aquieta, y el caballero ve en el líquido espejo la imagen de la que ama, alegre o turbada como en aquel punto se encuentre. Mas si la amada no le es fiel, la verá con los ojos bajos, como avergonzada. Lo mismo ocurre si la que se mira en la fuente es dama que ame a caballero.

Evidentes son los parecidos y evidentes las diferencias. Lo parecido es que lo mismo en la novela caballeresca que en el *Cántico,* el enamorado ve en aquel agua de la fuente la imagen (en el *Cántico* solo los ojos) del objeto de su amor. Las diferencias son múltiples: en el *Cántico* lo interesante es la fuente como elemento transmisor de la imagen; es decir, el puro tema de tradición eglógica. Porque, según nos dicen los comentarios, la Fe (la fuente) es el único medio para llegar "a la verdadera unión con Dios" [86]. En la novela lo esencial es la prueba de los leales enamorados. En el *Cántico,* lo mismo que en toda la poesía pastoril, se trata de la fuente natural, el primer tranquilo espejo que ofreció la Naturaleza a los hombres. En el *Caballero Platir* es una fuente artificiosa, fabricada, mágica, de aguas tumultuosas, que solo se aquietan cuando un amante quiere poner a prueba la lealtad del objeto de su amor.

Conviene atender, además, a las condiciones mismas de la novela. El *Caballero Platir* (hijo de Primaleón, perteneciente, por tanto, a la serie de los Palmerines) se publicó en Valladolid en 1533 [87]. Mas de esta primera, y a lo que parece única, edición castellana no citan las bibliografías sino un ejemplar (¿quizá el que hoy para en el Museo Británico?). El destino del *Caballero Platir* era Italia. Cae allí en manos de Mambrino Roseo di Fabriano, tal vez el mayor difundidor de materia literaria española en un medio extranjero, que haya existido jamás. Mambrino Roseo traduce la novela, y su traducción se publica en Venecia en 1548, con tanto éxito, que se reimprime por lo menos siete veces hasta principios del siglo XVII. Mas no es en esta traducción donde se encuentra el episodio de la fuente de los leales amantes.

Mambrino Roseo se movía a sus anchas entre la materia caballeresca española: unas veces traducía; pero otras, poniendo algo de su cosecha y recosiendo y amoldando aventuras conocidas, creaba nuevas continuaciones, que presentaba al público como traducciones del español. Este es el caso de las seis partes de *Sferamundi,* último vástago de la familia de Amadís, brote tardío que hizo gemir las prensas venecianas desde 1558 hasta 1610.

Pues bien: *La seconda parte et aggiunta novamente ritrovata al libro di Platir, tradotta nella lingua italiana dagli Annali di Grecia* [Venecia, 1560], es también producto, llamémoslo original [88], de la fantasía del fecundo literato, aunque en los preliminares se lea que la obra ha sido "tradotta in lingua italiana dalla Spagnuola per Messer Mambrino Roseo di Fabriano". Pero es precisamente en esta segunda parte italiana donde aparece la mágica fuente.

En resumen: el *Caballero Platir,* apenas vislumbrado en 1533 en España [89], llega a ser más un libro italiano que español. No hay indicio de que su éxito italiano tuviera reinflujo entre nosotros. En su parte ya únicamente italiana es donde aparece la fuente de los leales amadores. Piénsese, además, en las condiciones de vida de Juan de Yepes, de fray Juan de Santo Matía, de los primeros años del nuevo fray Juan de la

Cruz, y se verá cuán poco probable es que tuviera acceso a la parte italiana de esta distante novela.

Pero, si esto es improbable, no dejaría de ser posible que la estrofa de la fuente, en el *Cántico,* y el pasaje de *La seconda parte et aggiunta... al libro di Platir* tuvieran un origen común. Esta hipótesis queda deshecha en seguida. En efecto, la aventura de la fuente donde se prueban los leales amantes no es más que una mecánica adaptación de la aventura del espejo, tal como se cuenta en los capítulos XXVII y XXVIII del libro segundo del *Primaleón*[90]; en esencia, y aun en pormenores, ambas aventuras coinciden: basta casi sustituir "fuente" donde en el *Primaleón* dice "espejo". El tema de la fuente, en la ascendencia de la novela, se extingue, pues, a la primera generación. El tema de la fuente, en la ascendencia pastoril del *Cántico,* es tan viejo como la literatura bucólica en el mundo[90a].

Esa cadena de vínculos, a través del bucolismo, lleva a la *Egloga segunda* de Garcilaso—a la *Egloga segunda,* cuyos temas, cuyo vocabulario y giros surgen una y otra vez en la poesía de San Juan de la Cruz—, y en ella nos encontramos la fuente como centro obsesionante de la acción, con un sentido trascendente, pues ya no es el simple espejo; en ella, decíamos, se reflejan lo mismo cualidades abstractas que desvaríos de la imaginación[91]. Mas entre la *Egloga segunda* y el *Cántico espiritual,* notábamos, por lo que al tema de la fuente se refiere, la falta de un eslabón. Este eslabón es otra vez Sebastián de Córdoba.

En la *Egloga segunda* la fuente está ya en los límites de la simbolización, pero del lado humano; en San Juan de la Cruz es símbolo divino. Es en Sebastián de Córdoba donde la fuente garcilasesca pasa a ser por primera vez símbolo sagrado.

El tema del árbol y el de la fuente están muy ligados entre sí en la *Egloga segunda* a lo divino. El primero es casi creación total del refundidor (en Garcilaso se daba en un solo verso); el de la fuente, en cambio, llenaba la égloga en su primitiva versión humana. Córdoba no tiene más que tomarlo y cargarlo de sentido religioso. La intención simbólica es evidente en el pasaje ya antes transcrito:

> Allí estaba una fuente clara y pura,
> que como de cristal resplandecía,
> y al parecer mostraba gran hondura.
>
> Allí, como en espejo, parecía
> una diversa historia variada,
> puesto que yo miraba y no entendía [92].

Es muy posible que San Juan de la Cruz interpretara estos versos en que el hombre mira y no puede entender lo que ve en la fuente nítida y de gran hondura, tomándola como símbolo de la Fe, que esta es la significación de la fuente en el *Cántico espiritual*. La intención simbólica de Córdoba es de absoluta evidencia; su sentido particular no está tan claro. Ya queda dicho cómo en esta cristalina fuente Celia ve reflejada—más adelante—la fealdad de sus culpas. Más tarde representa la fuente de la Gracia, que mana del costado de Cristo [93].

Lo importante es que en la utilización simbólica a lo divino, de la fuente de Garcilaso, es también Córdoba antecedente de San Juan de la Cruz.

Todo lector de San Juan de la Cruz queda impregnado, acompañado a lo largo de su vida —como por una ternura presente y soterraña— por el bellísimo pasaje:

> El aire de la almena,
> cuando yo[94] sus cabellos esparcía,
> con su mano serena
> en mi cuello hería
> y todos mis sentidos suspendía[95].

No existen comentarios a las últimas estrofas de la *Noche,* y así no sabemos la concreta interpretación mística que el poeta habría dado a su rapto lírico. Pero conocida nos es, por los comentarios a otros lugares próximos, del *Cántico* y de la *Llama*[96], la función del "aire" en la críptica simbólica de San Juan de la Cruz: alude a las más íntimas y sutiles operaciones de la Divinidad en los últimos trances de la unión perfecta; es el soplo del Santo Espíritu creador.

Nos queda la bella imagen con su apasionado temblor humano. No sé por qué, pues la paridad dista mucho de ser absoluta, he sentido de modo especial el encanto de las tres últimas estrofas de la *Noche* (el amor en la profunda nocturnidad) al contemplar[97] los dibujos coloreados —de técnica torpe, pero de refinado espíritu— de la tardía escuela india de Kangra. Bajo serena titilación de estrellas, una pareja de amantes camina, iluminando con su rastro la densa noche. Y se adivina el suave ventalle[98] de los negros árboles del fondo. O, más cercano aún, los nocturnos enamorados se recrean en la alta terraza del palacio, junto a la frescura de un estanque. Hay la brisa de la noche, ya cercana a "los levantes de la aurora",

> y algo que es tierra en nuestra carne siente
> la humedad del jardín como un halago[99].

Y, ahora, la imagen de la estrofa alada. Los amantes del alto amor han subido a la torre del recinto y allí—"más alto, amor, más alto[100]"—donde la vida humana cesa, donde el temblor de los astros es más próximo, al dulce soplo que entre almena y almena se filtra, la Amada esparce los adorados cabellos. La vida ha cesado, la pasión también. Y amar es solo una permanente inminencia sin deseo, un suave soplo, un aroma:

> El aire de la almena,
> cuando yo sus cabellos esparcía,
> con su mano serena
> en mi cuello hería
> y todos mis sentidos suspendía.
>
> Quedéme y olvidéme,
> el rostro recliné sobre el Amado.
> Cesó todo, y dejéme,
> dejando mi cuidado
> entre las azucenas olvidado[101].

Groseramente, tenemos que penetrar en el encanto. Hay que volver al libro de Sebastián de Córdoba.

Es otra vez la *Egloga segunda* a lo divino la que nos sale al paso. Habíamos dejado a Silvanio desesperado, loco, por el desdén de Celia, y con un ardiente deseo de poner fin a su vida. Este deseo y la nocturnidad existen también en el poema de Garcilaso (versos 533 y siguientes). Albanio se encamina a un "barranco de muy gran altura". Pero Silvanio es—precisamente—a una alta torre adonde se dirige; allí, en otras noches de verano, había gozado los favores de amor de su Celia, del alma:

...estos enfermos pies me condujeron
sobre una torre de muy grande altura.

Mis ojos el lugar reconocieron,
que alguna vez miré, de allí, contento,
los favores de amor que se me dieron.

Allí entre dos almenas hice asiento,
y acuérdome que ya con ella estuve
las noches de verano al fresco viento [102].

En ambos casos, la escena de amor en la noche. La almena=entre las almenas. Los favores de amor=el esparcir del cabello en el dulce jugar. El aire nocturno que hiere—deliciosamente—en el cuello=el fresco viento de las noches del verano...

¡El aire de la almena! Y otra vez—¡oh portento!—la trama de los versos de Córdoba ha sido convertida en belleza única y gozo para siempre.

LA NOCHE OSCURA,
LA AURORA

Hemos visto ya antes [103] cómo Baruzi observa que en la concepción, o por lo menos en la terminología, de la *Noche* (del poema y de sus comentarios) han podido tener algún influjo las expresiones nocturnas de Garcilaso: "noche tenebrosa, escura", "cárcel tenebrosa", etc. Son en su mayor parte comparaciones hiperbólicas de la imaginería amorosa, que resbalan sobre la sensibilidad del lector sin dejar una profunda huella. Lo interesante es que esas expresiones han sido una y otra vez conservadas en el texto de Córdoba [104]. Y, más interesante aún, que en esas expresiones triviales el refundidor ha visto la posibilidad de un claro sentido espiritual. El limitado vuelo de la imaginación de Sebastián de Córdoba está, en general, distante de dar a esas comparaciones el profundo sentido simbólico que han de tomar las noches del alma en la doctrina mística del santo poeta. Para el adaptador de Garcilaso, habitualmente, la noche es la noche del pecado, las tinieblas en que se sume el alma del hombre cuando le falta la luz divina. De un modo correspondiente, la aurora y el sol representan en él el nacer de la luz de Dios, la iluminación del alma en gracia. En fin, esta conversión, a lo divino, de la profana noche garcilasesca es tan constante, tan reiterada, que es este uno de los rasgos que antes impresionan al lector de la obra.

A veces, Córdoba no ha necesitado alterar los versos del poeta que refunde. Porque en ocasiones los que contienen la imagen nocturna, puestos junto al contexto, ya espiritualizado, cobran una evidentísima significación. Así, en la escena de la torre que acabamos de citar, Silvanio, al recordar aquellas noches de amor pasadas a solas con su alma, siente algún consuelo a sus tristezas. En seguida, el refundidor añade:

> Denunciaba el aurora ya vecina
> la venida del sol resplandeciente,
> a quien la tierra, a quien la mar se inclina [105].

Son tres versos de Garcilaso sin modificación alguna, y en la primitiva versión profana ocurren exactamente en el mismo lugar que en la versión a lo divino. Pero en Córdoba ya están cargados de sentido diferente. El que Silvanio, el cuerpo pecador, recuerde con alivio sus pasados amores con el alma, parece no ser otra cosa sino una lejana influencia de la gracia de Dios. En él luchan la luz y las tinieblas del pecado. Noche es aún, pero se presiente la cercanía de la aurora, la llegada del sol de Dios, a quien, infinitamente más que al astro, obedecen mar y tierra.

Otras veces el nuevo simbolismo exige la completa refundición del pasaje original.

Tal vez ningún ejemplo mejor de cómo obsesionaba al fervor espiritual de Córdoba esta imagen de "la noche, la aurora y la luz", que el final de la *Egloga primera*. Todo el mundo recuerda el sereno, virgiliano pasaje. Los dos pastores no habrían concluido nunca sus lamentaciones

> ...si mirando las nubes coloradas,
> al tramontar del sol bordadas de oro,
> no vieran que era ya pasado el día.
> La sombra se veía
> venir corriendo apriesa
> ya por la falda espesa
> del altísimo monte, y recordando
> ambos como de sueño, y acabando
> el fugitivo sol, de luz escaso,
> su ganado llevando
> se fueron recogiendo paso a paso.

Esta ordenación de día a noche, de luz a tinieblas, no le servía para su propósito al pío Córdoba. Dentro de su simbolización del día y de la noche, tal orden le llevaba irremisiblemente a una solución pesimista. ¿Cómo salvar la dificultad? El refundidor medita, reúne sus fuerzas, y he aquí lo que se le ocurre: invertirá los términos; el lamentar de los dos espirituales pastores habrá tenido lugar de noche, y la *Egloga* terminará con el surgir del día:

> Nunca pusiera fin al triste lloro
> el pecador, ni fueran acabadas
> las palabras que solo Dios le oía,
> si mirando las sombras ya pasadas,
> al levantar del sol con trences de oro,
> el alba no mostrara un claro día.

La sombra se veía
huir corriendo apriesa
con la venida expresa
del soberano Sol, que, consolando
al pecador que estaba lamentando,
le remedió su pena y su traspaso:
que a quien le está llamando
nunca le da el Señor remedio escaso[106].

Nada, en esta vulgar concepción, de la profundidad estelar de las "noches" de San Juan de la Cruz. Son estas estados psicológicos[107] por los que Dios encamina a las almas que dulce y, a la par, ásperamente lleva hacia la unión. Para llegar a la unión de semejanza es necesaria la negación, en el hombre, de lo desemejante. Son noches hondísimas de negación y esquivamiento de todo lo sensible y todo lo espiritual (noche del sentido, noche del espíritu), con la sola guía de la luz de la Fe, luz absoluta, total, y por total y absoluta, equivalente para el entendimiento humano a la más profunda oscuridad.

Hay, pues, una gran distancia entre esta idea de la noche, en la que Córdoba funde la terminología erótica de Garcilaso con las imágenes usuales del sermonario más vulgar, y la magnífica concepción de las noches de San Juan de la Cruz, creación la más rigurosa de su doctrina. Pero el hecho de que una vez y otra vez aparezca en un libro que indudablemente usó, amó e imitó, la imagen garcilasesca de la noche, vertida a símbolo espiritual, nos fuerza a pensar que esta fue una de las vías por donde la imagen nocturna se fue adensando en su alma. La imagen misma estaba ante él, independiente, con una realidad objetiva. Entre el contenido espiritual con que la llena Córdoba y el que le ha de infundir él, media gran intervalo. Pero que la imagen externa le obsesionaba y que a la plenitud de sentido conceptual no llegó de un tranco solo, lo podría probar esa intensísima poesía (compuesta en la cárcel de Toledo) que lleva como estribillo "Aunque es de noche"[108]. Creo que en este poema, si en cierto modo se adivina la profundidad del símbolo posterior, la "noche" es asimismo la oscura prisión de nuestro cuerpo, que nos impide acercarnos a los misterios de la Divinidad, y que con ese sentido se fundían quizá en la imaginación del poeta su oscuro abandono y las tinieblas de su triste prisión toledana. La imagen externa permanece, y una y otra vez la vemos vaciarse de sentido, para cargarse de otro diferente. Y la "noche" cubre sucesivamente la soledad o el desvío amoroso, en Garcilaso; el estado de pecado mortal, en Córdoba; y en San Juan de la Cruz, primero, la doble oscuridad de la cárcel carnal y de la real prisión de cal y canto, y , luego, el símbolo profundo de los oscuros caminos por los que se ha de entrar el alma que tiende hacia la unión divina.

Como complemento de la imagen de la noche, las imágenes aurorales. Hemos visto el gusto que por ellas siente Córdoba. ¿Cómo no recordarlas cuando leemos en San Juan:

> la noche sosegada,
> en par de los levantes de la aurora?[109].

En los comentarios nos explica que esta imagen da a entender la aparición de las primeras vislumbres de iluminación divina: "porque así como los levantes de la mañana despiden la oscuridad de la noche y descubren la luz del día, así este espíritu, sosegado y quieto en Dios, es levantado de la tiniebla... a la luz matinal del conocimiento sobrenatural de Dios"[110]. Recordemos el final de la *Egloga primera* a lo divino; pongamos al lado los versos de la *Egloga segunda* de Garcilaso, que Córdoba no necesitó ni en una tilde alterar:

> Denunciaba el aurora ya vecina
> la venida del sol resplandeciente...[111].

Y si volvemos otra vez a los comentarios del santo (ahora a la *Subida del monte Carmelo*), vemos cuán profundamente estaba imbuida en su alma esta imagen auroral de la crepuscular preiluminación divina: la tercera parte del símbolo de la noche, dice, se compara "al despidiente, que es Dios, la cual es ya inmediata a la luz del día". Y más adelante: "La tercera parte, que es el antelucano, que es ya lo que está próximo a la luz del día, no es tan oscuro como la medianoche, pues ya está inmediata a la ilustración e información de la luz del día, y esta es comparada a Dios"[112].

Entre las imágenes de "iluminación" hay una que, aunque no puede servir de prueba segura por no ser exclusiva a Córdoba y a San Juan de la Cruz, unida a toda la serie que venimos estudiando, cobra bastante valor. Por una vez vamos a considerar, no la poesía, sino la prosa de los comentarios, pues es en esta donde se halla la famosa imagen de la "vidriera". En la *Canción cuarta*, de Garcilaso, los versos 61 y siguientes dicen así:

> Los ojos cuya lumbre bien pudiera
> tornar clara la noche tenebrosa
> y escurecer el sol a mediodía,
> me convirtieron luego en otra cosa.
> En volviéndose a mí la vez primera
> con el calor del rayo que salía
> de su vista que en mí se difundía...

Aquí se ve bien cuán cercana estaba la profanidad amorosa de Garcilaso de poder ser interpretada a lo divino. En realidad, el refundidor no hubiera necesitado cambiar ni casi una palabra. Mas Córdoba lo alteró así:

> Los ojos cuya lumbre verdadera
> suelen tornar la noche tenebrosa
> tan clara como el sol al mediodía,
> viéndome convertido en otra cosa,
> traspasan la muralla y *vidrïera*
> del alma con la lumbre y alegría
> de su vista, que en mí se difundía [113].

Cuando nos encontramos la famosa imagen de la *vidriera* en la prosa de la *Subida,* reconocemos su inmediata cercanía, en las líneas esenciales del alegorismo y aun en la expresión, al anterior pasaje del *Garcilaso a lo divino,* indudable lectura del santo: "Está el rayo del sol dando en una *vidriera*...; el alma es como esta *vidriera* en la cual siempre está embistiendo... esta divina luz del Ser de Dios..." [114].

La palabra *vidriera* entra en imágenes de "iluminación" en obras religiosas, por lo menos del siglo XIV al XVI, pero referida casi siempre a la Virgen María [115]. En Francisco de Osuna, sin embargo, tiene ya un neto sentido místico casi igual al que le dan Córdoba y San Juan de la Cruz; mas las coincidencias de expresión son aún mayores entre los dos últimos. ¿Influjo directo de Francisco de Osuna sobre el santo? ¿A través de Córdoba? Las mayores semejanzas entre este y nuestro poeta y la seguridad, que ya tenemos, de una relación directa entre ambos, parecen hablar por sí solas. Quede, no obstante, solo en muy probable, no en seguro.

Claro está que esta utilización de los fenómenos naturales de iluminación como símbolos espirituales tiene una antigüedad que remonta a los primeros intérpretes de las Escrituras, y una enorme difusión en toda la literatura devota. Si relaciono las alegorías de la "noche", el "día" y la "aurora" del Garcilaso a lo divino con los símbolos semejantes de San Juan de la Cruz, lo hago movido por una serie de factores que mutuamente se apoyan y refuerzan: 1.º Ya Baruzi vio en las expresiones "tenebrosas" de Garcilaso un posible precedente de la terminología de la noche oscura, y eso que no había escudriñado el texto a lo divino. 2.º Todas esas imágenes que ya en Garcilaso podrían ser consideradas como fuentes, están conservadas, resaltadas e intensificadas de tal modo en la versión a lo divino, que dan carácter a la obra. 3.º En busca de una tradición literaria, encontramos las mismas imágenes nocturnas, aurorales, etc., profanas en Garcilaso, espiritualizadas primero en Córdoba, en seguida en San Juan. 4.º Cuando una imagen de "iluminación", que estaba en Garcilaso, ha sido modificada por Córdoba, el nuevo elemento introducido por el refundidor lo encontramos en seguida en San Juan de la Cruz. Es el caso de la "vidriera". 5.º Es cosa probada que San Juan de la Cruz leyó detenidamente el libro de Córdoba. 6.º y último. Comparando la simbolización de la luz en la tradición franciscana y en Santa Teresa tal como la ha estudiado Etchegoyen [116], con la de Córdoba y San Juan de la Cruz, vemos una profunda diferencia. En la tradición franciscana, el centro de atención está constituido por la "luz". En Córdoba—sobre la imaginería "tenebrosa" de Garcilaso—cobra gran importancia el elemento nocturno y de tinieblas: paso de la luz a la tiniebla, de la tiniebla a la luz. En San Juan existen, sí, las imágenes aurorales o simplemente iluminativas, pero casi siempre en función del símbolo de la noche oscura.

De los dos elementos unidos por el vínculo de la imagen, hemos visto la tradición, de Garcilaso a Córdoba, de Córdoba a San Juan, del elemento propiamente literario, el externo o irreal; y también cómo ese elemento irreal que cubre un concepto amoroso en Garcilaso, pasa a contener uno espiritual en Córdoba y San Juan de la Cruz. Pero no nos engañemos. El contenido de la noche oscura solo coincide en estos dos escritores en ser espiritual, divino. ¿De dónde viene, pues, el profundo sentido de la "noche" de nuestro Santo? Esta investigación cae fuera de nuestro propósito. Hay que pensar en una tradición doctrinal. Pista apasionante es la seguida por don Miguel Asín. Este insigne investigador ha señalado curiosísimos puntos de contacto entre la concepción de la "noche" en San Juan de la Cruz y el *qabd* o "aprieto" de la escuela xadili musulmana, comparado en ella algunas veces a la noche. El parecido — aunque con muchas diferencias — es innegable. La primera explicación que ocurre es la de entronque común en una antigua tradición cristiana. Mas el sabio arabista la rechaza [117] y llega a pensar en una transmisión directa por medio de los moriscos del siglo XVI.

A la *Noche oscura,* de San Juan de la Cruz, irían, pues, a concurrir una tradición doctrinal — que aún presenta puntos problemáticos — y una tradición literaria, señalada—entre otros— por los jalones de Garcilaso y Sebastián de Córdoba.

Sí, tenía razón Baruzi: en un extremo de la

línea están las imágenes nocturnas de Garcilaso; en el otro, el alto símbolo y la terminología de la noche del sentido y de la espiritual. Pero había un elemento intermedio, que el sabio francés no ha visto: este elemento es el libro a lo divino de Sebastián de Córdoba y su predilección por las imágenes nocturnas y aurorales de Garcilaso. Córdoba es quien espiritualiza aquella erótica imaginería. En ese libro que San Juan de la Cruz lee y ama, es donde ve las posibilidades espirituales de la imagen, y sus matices; y partiendo de allí, tras el ensayo del "Aunque es de noche" —recibida (no sabemos cómo) una tradición doctrinal, que vemos presente en la mística musulmana—, llega a cargar la imagen del asombroso contenido de la *Noche oscura.*

EL FUEGO DE AMOR VIVO

Propone el P. Crisógono [118] como modelo del primer verso de la *Llama,*

> ¡Oh llama de amor viva!

un verso de Boscán:

> ¡Oh fuego de amor vivo!

El parecido es evidente. Pero, por desgracia, en balde buscará el lector tal verso entre los poemas del caballero barcelonés. Creo que la equivocación del P. Crisógono puede explicarse de la siguiente manera: sin duda manejaba dicho padre a un tiempo mismo las obras originales de Boscán y Garcilaso (Barcelona, 1543) y la versión a lo divino por Sebastián de Córdoba en la edición de 1575. Y al encontrar en este último libro, entre la refundición de los poemas de Boscán, el verso

El fuego de amor vivo...[119]

lo registró como procedente de la versión original, trocándole de paso el artículo *el* por la interjección *oh*. Pues este verso le hubiera dado una interesante pista. Y es curioso que lo mismo Baruzi que el P. Crisógono hayan tenido en la mano el libro de Córdoba, y ni al uno ni al otro se les haya ocurrido hacer lo que nosotros hemos hecho: indagar si además de citarlo explícitamente en las hojas preliminares de la *Llama*, de la lectura le había quedado alguna otra huella en su poesía.

El verso "el fuego de amor vivo" no solo pertenece a la refundición a lo divino de las obras de Boscán, sino que en la original, en la profana, es completamente diferente. Se trata de la *Canción primera* del poeta. La versión humana comienza así:

De sola muerte vivo,
y en vivo fuego es siempre mi morada...[120]

Es la imaginería amorosa corriente, en que constantemente caen lo mismo el cancionero a la manera castellana que los usos petrarquescos. La refundición espiritual lo trueca del siguiente modo:

El fuego de amor vivo,
el que en el cielo tiene su morada,
mi dulce Dios y hombre Jesucristo,
el ánima abrasada,
vino a morir por mí...[121].

En toda la canción refundida está presente la imagen del fuego como símbolo ya de la misma Divinidad, ya del amor divino. Un poco más adelante leemos, por ejemplo:

No quiero con temores encenderme,
mas el suave amor mi alma encienda,
y en mí su gracia extienda...[122].

Creo que la aproximación hecha por el P. Crisógono (sin ver que se trataba de la versión a lo divino) es exacta: que el verso

El fuego de amor vivo...

es probablemente la base de la exclamación de San Juan de la Cruz:

¡Oh llama de amor viva!...

Y que todo el ambiente imaginativo de esta canción del Boscán espiritualizado parece revivir —¡pero con cuán diferente vitalidad, con qué hiriente y profunda intuición!—en los símbolos dulcemente abrasados de la *Llama,* y ese "suave amor que enciende el alma" en el poema de Córdoba, es la "llama que tiernamente hiere", el "cauterio suave", la "regalada llaga" de los versos inmortales del santo.

Pero tampoco daré un valor excesivo a esta semejanza, y solo la tomo en cuenta al lado de otras más seguras. La larga tradición mística de la imagen del fuego, y aun algunos parecidos de expresión en otros poetas del siglo XVI, nos obligan a ser cautos.

En el mismo Boscán se encuentra la expresión "viva llama de amor", aún—si se prescinde del ritmo—más cercana a la de San Juan de la Cruz. Pero, rítmicamente, nada más próximo que ese verso "el fuego de amor vivo" del Boscán espiritualizado [123]. Y nunca deja de hacernos fuerza el hecho de que el santo fuera—declaradamente—lector del libro de Córdoba.

Henos (lo mismo que cuando rastreábamos la huella del Garcilaso original) ante una cadena de eslabones de desigual fuerza probatoria. Triviales son en la historia del simbolismo religioso las imágenes del fuego; mas la coincidencia de un verso entre Córdoba y San Juan parece indicio claro de que los dos son términos inmediatos dentro de la serie. Comunes son también las alegorías de "iluminación"; mas Córdoba refuerza y carga de sentido espiritual las imágenes nocturnas y aurorales de Garcilaso, y estas son precisamente las que—del lado literario—dan carácter al tema en San Juan de la Cruz: la imagen de la *vidriera* vuelve, además, a situarle en proximidad inmediata al refundidor a lo divino. La imagen de la fuente—rechazada la falsa pista del *Caballero Platir*—netamente se sitúa en la línea pastoral (y a la par se señala ajena a los símbolos del agua, según la tradición de los franciscanos); pero Córdoba es quien diviniza la fuente del bucolismo, y divinizada la encontramos en San Juan. En fin, hay otras coincidencias muy concretas y que presentan pluralidad de elementos iguales, en tal grado, que llegan a tener evidente fuerza probatoria: el tema del "pastorcico muerto sobre el árbol eglógico" y el de "los favores de amor en la noche, al fresco aire de la almena". Estos términos, absolutamente claros—lo mismo que decíamos en trance análogo ante el Garcilaso original—, revitalizan y confirman los demás de la cadena. La prueba se remacha aún aquí al considerar una seguridad (que en el caso del Garcilaso a lo profano no teníamos): que está absolutamente probado que San Juan de la Cruz leyó el libro de Córdoba; que el Santo reconoce—y la crítica moderna lo confirma—haber tomado de la versión a lo divino la combinación estrófica de la *Llama*[124].

Sin duda, las aproximaciones que hemos establecido entre la poesía de San Juan de la Cruz y las refundiciones de Córdoba podrán aumentarse bastante todavía. Para mi propósito bastaba con esto. De Córdoba proceden la estrofa de la *Llama,* el símbolo del árbol en la poesía del pastorcico, el origen de la simbolización de la fuente, la escena (con sus imágenes) de la noche de amor junto a la almena, la espiritualización de las imágenes de la noche y la aurora, y muy probablemente la de la vidriera y la del fuego. Elementos que—del lado de la poesía de San Juan—pertenecen a categorías diferentes: grandes creaciones simbólicas (la noche, la llama), imágenes y símbolos concretos (el árbol, la fuente, la vidriera, el viento de la almena), temas (el pastorcico, los gozos del amor nocturno), versificación (la estrofa de la *Llama).*

Constantemente nos hemos encontrado con un hecho evidente: a pesar de la base utilizada del Garcilaso a lo divino, todo lo que es creación estética o doctrinal pertenece por entero a San Juan de la Cruz. El talento mal dirigido, pero indudable, de Sebastián de Córdoba, tiene un vuelo inseguro y muy limitado. En algunos momentos se cierne a mediana altura con cierta gallardía; pero en seguida le vemos precipitarse en espantosa caída vertical. De los motivos que de él toma San Juan de la Cruz, el de más bello tratamiento inicial era el de la noche de amor junto a las almenas; hábil y no sin belleza, el del pastor muerto en el árbol; de grandes posibilidades, pero no desarrolladas, el del simbolismo de la fuente, el de la alegoría del fuego; de vulgar contenido, el nocturno y auroral. Lo interesante es esto: cada uno de estos elementos, al pasar a la poesía de San Juan de la Cruz, se transforma en belleza cimera, allá por las últimas lindes de lo posible en expresión humana: y el "aire de la almena" será uno de los pasajes estelares de nuestra poesía; el *Pastorcico,* uno de los poemas de sensibilidad más lánguida y delicada; los símbolos de la fuente, de la noche y del fuego, tendrán, el primero, una intensa nitidez, los otros dos, una abismal profundidad. Aquí veo realzada la grandeza estética de San Juan de la Cruz[125]. En eso se conoce el genio poético: labrar con lo contingente—ya venga de la realidad, ya del arte—eterna belleza, sombra o proyección de Dios.

Así, por lo que a la obra se refiere. Mas, probado que San Juan de la Cruz leyó el libro de Córdoba, que gustó de él con delicia, que lo imitó, la sima que se abre a nuestros pies—por lo que se refiere a la intención estética del santo—, es de una profundidad tal, que empavorece. Conviene antes aclarar nuestras conclusiones.

3

CONCLUSIONES

Dos partes principales ha tenido el anterior estudio en busca de huellas de la tradición culta en la poesía de San Juan de la Cruz: influjo de Garcilaso; influjo de Garcilaso y Boscán a lo divino.

Considerando ahora la obra de Garcilaso al lado de la de su refundidor Sebastián de Córdoba, podemos distinguir tres clases de elementos:

a) Los que existiendo en la obra de Garcilaso no aparecen en la de Córdoba (porque este los ha omitido o refundido completamente).

b) Los que existen en Garcilaso y pasan a Córdoba sin modificación, o con modificación escasa.

c) Los que son nuevos en la obra de Córdoba, y en vano se buscarán en Garcilaso.

De los casos concretos estudiados, pertenecen al grupo *a*) (doy solo un par de ejemplos claros) el del "vuelo del cabello" y el del "aspirar del aire y el canto de Filomena" [126]. Estos dos lugares de Garcilaso:

(1.º: Y en tanto que el cabello que en la vena
del oro se escogió con vuelo presto
por el hermoso cuello, etc.

2.º ...el viento espira,
Filomena sospira en dulce canto, etc.)

han sido modificados de tal modo por Córdoba, que es imposible que la huella de ellos en San Juan de la Cruz—ya estudiada—pueda proceder de la refundición a lo divino. El segundo, de especial fuerza probatoria, ha sido modificado por Córdoba así:

...el cielo aspira
nuestro loco sospira en tierno llanto... [127].

Recordemos una vez más el pasaje de San Juan de la Cruz:

El aspirar del aire,
el canto de la dulce Filomena... [128].

Coincidencias entre Garcilaso y San Juan: *viento=aire, espira=aspirar, Filomena, dulce, canto.*

Coincidencias entre Córdoba y San Juan: solo una: *aspira* = *aspirar*. Queda probado (y lo mismo puede decirse del "vuelo del cabello") que este pasaje procede directamente de Garcilaso.

Corresponden al grupo *b*) el tema de la fuente y las imágenes nocturnas y aurorales. Están en Garcilaso, están en Córdoba. Pero en este se cargan de simbolismo divino. Es muy posible que el reflejo de San Juan de la Cruz proceda directamente solo de Córdoba. Pero como ya estamos seguros de que el santo conocía también a Garcilaso, es lo más probable que ambos recuerdos se sobrepusieran en él, dando en su obra una coincidente proyección.

Son de modo indudable del grupo *c*) el tema del "pastor muerto en el árbol" y el de "la escena nocturna de amor, con viento, junto a la almena". Inútil buscarlos en Garcilaso. San Juan de la Cruz los toma, pues, de Córdoba.

Hay en la obra del santo elementos que vienen directamente, unos, de Garcilaso; otros, de Sebastián de Córdoba; otros, en fin, que proceden probablemente solo de este último, aunque también el recuerdo del poeta toledano ha podido, a la par, fundirse en ellos. San Juan de la Cruz leyó a Garcilaso; leyó también su refundición por Córdoba. San Juan de la Cruz imitó algunas veces directamente a Garcilaso; imitó también varias veces directamente a Córdoba. Henos llegados a conclusiones de una exacta, casi matemática limpidez.

Y aquí es donde se levanta el oscuro, interesantísimo problema. "Aborto literario" llamó el máximo crítico español[129] al libro de Córdoba. No hay por qué mover este juicio, sino únicamente matizarlo. Aborto es por ser una obra que, queriendo divinizar, profanaba, lamentable destrucción de un gran paisaje de belleza. Según eso, ¿cómo es posible que San Juan de la Cruz, el altísimo poeta, se aficionara a este libro, que lo hiciera compañero espiritual suyo, que se inspirara en él para alguna de sus geniales creaciones? ¿Qué serie de absurdos, o—para usar una expresión del Santo—de contrarios en un mismo sujeto, no implican estas preguntas? ¿Qué criterio de belleza literaria era el de este artista incomparable? ¿Es que despreciaba en absoluto las vías estéticas, atento solo a las espirituales? ¿Acaso para él la poesía no fue más que un instrumento, que interesaba solo por su eficacia, pero negado en sí mismo, como una negación más entre las negaciones de las noches oscuras? Mas, a través del túnel de las noches, se desembocaba a la luz de la Naturaleza, por donde el Espíritu divino había pasado "con presura", y el Santo amaba las montañas, los ríos, los bosques, las bellas criaturas de Dios. Pues ¿cómo podría dejar de ver que la poesía era también una bella criatura de Dios? Rambla abajo, llevados por este ritmo de interrogantes, no hay más que un término: el prodigio absoluto. Toda la poesía de San Juan de la Cruz sería milagrosa: y el poeta habría repetido divinamente el milagro natural del jilguero y del ruiseñor.

No excluyo el portento. ¿Cómo excluirlo si su zona está a nuestro lado y abarca desde el misterio eterno de la poesía hasta las últimas y más secretas operaciones de Dios? Mas no lo recibiré mientras haya explicación humana. Miro a los elementos humanos, y encuentro que este poeta es—más adelante lo hemos de ver en pormenor—un consumado artífice, dueño del estilo, apreciador del matiz, sabio ordenador de la armonía y contraposición de las partes en el desarrollo del poema. Y todo en él trasciende a inspiración divina, sí, pero también a técnica humana. Y hemos sido llevados otra vez a la senda de las interrogantes. Busco una salida, e interpreto los hechos del siguiente modo. (No soy, en general, amigo de hipótesis aventuradas. Advierto al lector que si quiere no me siga: avanzo por el tremedal de lo hipotético.)

Baruzi supone[130] que San Juan de la Cruz había llegado a conocer los versos de Garcilaso, al ponerse en contacto, ya fraile carmelita, con el medio universitario salmantino. Me parece mucho más prudente pensar que el hecho ocurriera antes: en Medina del Campo, antes de la toma de hábito (1563). Allí, en Medina, transcurre su adolescencia; allí hace sus primeros estudios de letras humanas: gramática y retórica. Son esos años terribles de la adolescencia, traspasados de deseos vagos, de una enorme exacerbación del sentimiento, casi siempre melancólicos y nostálgicos, en que el carácter vacila, y ante el muchacho todo son perspectivas, posibilidades diferentes. La vida es un temblor delicioso, un ansia sin objeto claro, una embriaguez oscilante y un desasosiego con ignorancia del aguijón. Amor divino, amor humano, ¡qué tierno juego, qué ronda alternante! También Dios se refleja en unos bellos ojos de niña. Volar y evadirse: a un tiempo mismo, como la certera saeta del neblí, con el azorado escape de la garza. Y es, entonces, cuando apenas terminada la aprehensión del mundo material—la infantil imbibición en lo contingente—, se abre, alcázar absoluto, un ambiente mágico: el mundo de la Poesía.

Durante esos años de la adolescencia de Juan de Yepes, las prensas están lanzando ediciones y más ediciones de las obras de Boscán y Garcilaso. A las ferias de Medina llegan libros de las provincias más apartadas. Mas no es necesario que el volumen venga de fuera: en el mismo Medina han aparecido dos ediciones: en 1544 y en 1553, esta última impresa, es cierto, en Valladolid, pero editada por libreros de Medina [131].

Siempre he creído ilustrador comparar el descubrimiento de la dulce nueva de Garcilaso para un adolescente de mediados del siglo XVI, con lo que representó para los muchachos de mi generación el descubrimiento de Rubén Darío, con mi hallazgo de esa poesía, por ejemplo, año de 1915, en la sequedad adusta de un verano de Medinaceli. ¡Qué novedad de voz, qué extrañeza de colorido, qué inaudita musicalidad, qué incógnito mundo de arte! Así—con la misma avidez, pero, Dios mío, ¡con cuán diferente fruto!—creo que el adolescente, indeciso aún en la vida, debió de beber la dulzura de Garcilaso, empaparse de la nueva música, hecha de ritmo y de amorosa nostalgia.

Pero la senda se hace nítida. Y el joven de veintiún años toma el hábito en la misma población donde ha transcurrido su adolescencia. Juan de Yepes se ha vertido a lo espiritual.

Y vienen los estudios de Salamanca, el encuentro con Santa Teresa, el comienzo de la Reforma. Y antes que nada, la reforma propia, la reforma interior. Se nos ofrece aquí un tentador paralelo con Santa Teresa. Esta se arrepiente de su juvenil afición a los libros de caballerías [132]. Pero ese gusto primero, ¿no dejó huella alguna en su obra? Y ese *Castillo interior,* con sus muchos recintos sucesivos ¿no se parece en nada a tanto otro castillo por donde el deslumbrado héroe avanza impávido, en tantas ficciones de la *matière de Bretagne* y de sus consecuencias remotas? Pues yo supongo algo parecido en el alma de San Juan de la Cruz. Aquello que los rígidos moralistas van ya a denunciar públicamente [133], una secreta voz se lo denuncia a él dentro del pecho: aquel regusto de los versos de Garcilaso es amor del mundo, y en el fondo lascivia. Hay que huir de él, hay que raerlo del alma. Mas la dulce voz aún resuena con apagada música.

Es el año de 1575. Fray Juan de la Cruz es confesor en el convento de monjas de la Encarnación, en Avila. Un día, un libro pequeño, alargado, cae en sus manos. ¿La tentación de Boscán y Garcilaso, otra vez? No; es un Boscán a lo divino. Y lee. Es un descubrimiento: toda aquella ternura de Garcilaso, todos aquellos deliquios y encarecimientos de amor, todo el suave paisaje pastoral del fondo, todo puede verterse al amor divino. El deleite de los años mozos y la misma amorosa profanidad de los mágicos versos pueden venir así a rendir homenaje a la Divinidad. Aquellas apasionadas imágenes pueden convertirse al vínculo de amor con Dios. Y el libro de Córdoba se hace un compañero querido. Tal vez la fina sensibilidad del santo advierte sus enormes desigualdades: aquel gusto de Córdoba por lo más rudamente moralizador [134]; aquellas descripciones de banquetes y comilonas; aquel ascético aborrecer de placeres y regalos, con el tono cansino de cualquier púlpito vulgar; aquel enfervorizarse con las imágenes sangrientas de la Pasión, que el santo evita, atento a una contemplación más intensa y diferente. Todas estas zonas del volumen le dejan frío, algunas le molestan como nos molestan a nosotros. Pero, en cambio, hay pasajes en que, sin elevarse jamás al otero místico, Córdoba ha sabido trasfundir de los versos de Garcilaso la ternura y la delicadeza para expresar los afectos del alma, enamorada y arrepentida, hacia su Dios. Estas zonas le impresionan profundamente: estas, precisamente, y no las otras, son las que dejan una huella en su poesía. Llega tal vez a más: y es que ya no se avergüenza de volver a Garcilaso, porque sabe que casi todo lo que allí se dice puede ser vertido al amor de Dios, y quizá vuelve a coger en sus santas manos el profano libro [135]. Y no se recela ya de que de aquella suavísima voz humana pase, directamente, algo a su propia poesía.

He aquí mi interpretación: castillo en el aire, razonable cadena de hipótesis. Como siempre, en la poesía, hemos buscado matemáticas exactitudes, para venir a encontrar vaguedades, misterio, problema. Y el roce del ala del prodigio.

III

RAIZ ESPAÑOLA

LA TRADICION CASTELLANA

1

ELEMENTOS POPULARES Y DE CANCIONERO

Las andanzas del niño Juan de Yepes, las del joven novicio fray Juan de Santo Matía, se circunscriben en un triángulo que tiene por vértices a Fontiveros, Medina del Campo y Salamanca. Casi a medio camino entre Fontiveros y Medina está Arévalo, otra estada importante de los primeros años de formación de la personalidad. Todo, pues, occidente de la vieja tierra castellana, límites leoneses y territorio leonés propiamente dicho. Este destino temprano estaba como condensado en el mismo lugar del nacimiento: Fontiveros, casi en la linde de Avila y Salamanca, con la vacilación entre lo castellano y lo leonés señalada por la vacilación que hoy mismo perdura en el nombre: Fontiveros, Hontiveros [136].

Esta tierra vieja, con su rico lenguaje arcaizante y ligeramente dialectal, con sus usos rústicos, sus industrias primitivas, sus cantares y sus tradiciones, tuvo que dejar un hondo sedimento en el alma del niño y del adolescente al que la vida llamaba a tan altas empresas. No hay más que abrir sus obras, e inmediatamente lo notamos en el regusto especial de su léxico y de las imágenes que extrae de la vida diaria. Mas no voy a hacer esa indagación. De un lado, porque aunque los datos que nos ofrecen las poesías son evidentes, y quien lea despacio la más campesina de ellas, el *Cántico espiritual,* lo ha de notar en seguida, son poco numerosos, y habrían de ser completados con los relativamente abundantes que se pueden sacar de los comentarios, y yo quiero atenerme a la obra poética. Y de otra parte, porque un amigo entrañable, José María de Cossío, estudia ahora, precisamente, esos elementos.

Voy a considerar los poemas en los que se refleja la tradición castellana; es decir, los ajenos a la escuela italianizante. Mas esa tradición es doble: por una banda, popular; por la otra, cortesana, culta. En fin, lo cancioneril cortesano y lo popular tienen infinitos nexos, asociaciones y mutuos reinflujos, y esta penetración de ambas líneas no hace más que profundizarse a lo largo del siglo XVI. Hay, pues, entre las dos anteriores una tercera zona, de límites borrosos, medio cortesana, medio popular. Es en esta en la que preferentemente nos vamos a mover.

San Juan debía haber sido, como español del siglo XVI, buen aficionado a los romances. En la cárcel de Toledo, entre las primeras composiciones que escribe, está una serie de ellos. Baruzi supone de indudable autenticidad solo el primero, y duda de los otros. No deja de tener influjo en él el juicio peyorativo que formuló el P. Andrés de la Encarnación en el siglo XVIII: "Prevengo que los romances, que ciertamente son suyos, tienen alguna aspereza y diferencia en el metro algunas veces... ; tienen no sé qué rusticidad y bajeza, muy ajenas de tal pluma..." [137]. El buen padre no podía soslayarse al gusto neoclásico de su ilustrado siglo. Cierto que los romances no pueden compararse con las aladas estrofas del *Cántico,* de la *Noche* o de la *Llama;* pero en su rusticidad y monotonía no dejan de tener transparencia, difícil virginidad, agraz encanto. Pertenecen al tipo de romance aconsonantado, sumamente monótono, usado desde el siglo XV; y prolongan giros y expresiones de los viejos y de los juglarescos. El lenguaje directo, por ejemplo, se introduce repetidas veces por medio de un verso estereotipado ("de esta manera decía") que le zumba en los oídos a todo lector de romances.

Que San Juan de la Cruz conocía el romancero tradicional lo ha probado hace años José María de Cossío [138]. En el comentario de la estrofa 33 del *Cántico,* dice San Juan de la Cruz lo siguiente: "es de saber que de la tortolica se escribe que cuando no halla al consorte, ni se asienta en ramo verde, ni bebe el agua clara ni fría, ni se pone debajo de la sombra, ni se junta con otras aves" [139], lo cual no es sino evidente recuerdo del romance de *Fontefrida:*

> Fontefrida, fontefrida, fontefrida y con amor,
> do todas las avecicas van tomar consolación,
> si no es la tortolica que está viuda y con dolor...
> «...que ni poso en ramo verde ni en prado que tenga [flor,
> que si el agua hallo clara, turbia la bebía yo» [140].

EL CANCIONERO

Pues lo mismo conocía y en cierto modo continuaba San Juan de la Cruz el cancionero tradicional. Que lo conocía no cabe duda. Precisamente dos anécdotas nos le muestran en este aspecto. Según un testimonio, cuando el santo estaba encerrado en la cárcel de Toledo oyó cantar a unos muchachos que pasaban por la calle esta letra:

> Muérome de amores,
> carillo, ¿qué haré?
> —Que te mueras, ¡alahé! [141].

¡Cómo debió sonar, no en su sentido profano, sino en el de los más altos amores, en el corazón del preso!

Otra anécdota ha sido mencionada (rectificando un error del P. Gerardo) por José María de Cossío; y procede de la vida de San Juan de la Cruz por fray Jerónimo de San José. Hela aquí con las palabras de Cossío: "Solía el santo en Navidad mandar que sus religiosos hiciesen alguna representación piadosa de este misterio. Hallándose en cierta ocasión en un acto de recreación semejante sintióse el santo tan enternecido y arrebatado, que, tomando en sus brazos un Niño Jesús, comenzó a bailar con gran fervor, y en medio de sus júbilos desatados le cantó esta copla:

> Mi dulce y tierno Jesús,
> si amores me han de matar,
> agora tienen lugar.»

La copla es popular y antigua como lo acreditan numerosos testimonios [142].

Vamos ahora a rastrear las huellas que este conocimiento dejó en la poesía de San Juan de la Cruz. Para la comprensión de lo que va a seguir es necesario tener en cuenta tres hechos: 1.° Que—como acabamos de decir—el cancionero popular y el cortesano tienen una ancha zona de contacto, mejor dicho, que el cortesano admite, reelabora y continúa temas, giros y formas del popular, de tal modo, que en la tradición tardía cada vez son más frecuentes las formas mixtas. Claro está que la veta de lo netamente popular no se pierde, y una figura como Lope genialmente la continúa. La existencia de este hibridismo entre cancionero popular y cortesano no es ciertamente un descubrimiento [143]. Pero merecía historiarse y analizarse de cerca. Quede para otra ocasión. 2.° Que es característico de nuestro cancionero el que muchas veces un mismo villancico, coplilla o tema inicial (ya estrictamente popular, ya semipopular, ya culto) sea desenvuelto o glosado en tiempos distintos y en estrofas diferentes por diversos poetas. Es hecho perfectamente conocido (de él vamos a encontrar en seguida ejemplos) y una de las notas que concurren en la de "tendencia al anonimato" característica de nuestra literatura. 3.° Que, como parte de este último fenómeno, resalta y viene especialmente a nuestro propósito el que villancicos o temas iniciales, que primero tuvieron carácter humano, sean en un momento determinado convertidos a lo divino y glosados en sentido espiritual. Este glosar a lo divino constituye una larga tradición. Alvarez Gato toma el cantarcillo popular:

Quita allá, que no quiero,
falso enemigo,
quita allá, que no quiero,
que huelgues conmigo [144].

y lo vuelve así a lo espiritual:

Quita allá, que no quiero,
mundo enemigo,
quita allá, que no quiero
pendencias contigo.

Y lo mismo hace con otros temas. En el mismo siglo encontramos glosado en fray Iñigo de Mendoza, y dirigido al Niño Jesús, el siguiente estribillo:

Eres niño y has amor,
¿qué farás cuando mayor? [145].

Luego lo hallamos en otra forma:

Si eres niña y has amor,
¿qué harás cuando mayor? [146].

Es casi seguro que, aunque aparentemente posterior en el tiempo, esta forma es la popular primitiva, porque es más difícil—aunque no imposible—un cambio de lo divino a lo profano. Por la misma época que fray Iñigo, fray Ambrosio Montesino toma el tema popular:

A la puerta está Pelayo
y llora,

y lo aplica al destierro de Nuestro Señor para Egipto, en unas coplas delicadísimas:

Desterrado parte el niño
y llora;
díjole su madre así,
y llora:
«Callad, mi Señor, agora» [147].

Si leemos el *Cancionero espiritual,* impreso en Valladolid en 1549 [148], nos encontramos, bien diferenciadas, tres clases de villancicos. Unos compuestos directamente a lo divino, hay que suponer que por el autor de la colección. Otros, "villancicos antiguos" de sentido profano, a los que una nueva glosa o desarrollo basta para cambiar a significación divina; así ocurre con este, que como de Garci Sánchez se suele citar:

Secáronme los pesares
los ojos y el corazón,
que no puedo llorar, non [149].

Otros, en fin, han sido refundidos para adaptarlos al nuevo empleo. Así un "Villancico contrahecho" a otro que dice: "Si la noche haze escura y corto es el camino" [150]. En la nueva forma queda cambiado en

Si con estrema tristura,
cien mil sospiros envío,
¿cómo no vienes, Dios mío?

Esta tradición de hacia mediados del siglo es la misma que continúa Gregorio Silvestre, en la que vive Santa Teresa, la misma que va a recibir San Juan de la Cruz. En las obras de éste vamos a encontrar ejemplos que vienen, sobre poco más o menos, a corresponder a los tres tipos del *Cancionero espiritual* de 1549. La misma línea sigue desenvolviéndose a lo largo de los abundantes cancioneros religiosos de la segunda mitad del siglo XVI y principios del XVII.

La tradición de glosar a lo divino llega a Lope. Un viejo cantar de vela, cuya popularidad está atestiguada por ponerlo el autor en boca de Dorotea, en la obra de este nombre,

(Velador que el castillo velas,
vélale bien y mira por ti,
que velando en él me perdí),

es glosado por el dramaturgo dos veces, a lo profano en *Las almenas de Toro,* a lo divino en la comedia de *El nacimiento de Cristo*[151]. Y lo que pasa en Lope ocurre también en sus contemporáneos y en la tradición posterior del siglo XVII. La tradición popular y cancioneril venía haciendo, por su lado y desde el siglo XV, lo mismo que el siglo XVI haría con los versos de Petrarca en Italia, y en España con los de Boscán y Garcilaso: la versión a lo divino de la poesía profana. Resulta, pues, en este paso de lo humano a lo espiritual una curiosa simetría entre la poesía castellana tradicional y la culta italianizante.

Ya hemos indicado cómo en esta larga cadena se insertan Santa Teresa y San Juan de la Cruz. El tema glosado por Santa Teresa:

Véante mis ojos,
dulce Jesús bueno;
véante mis ojos,
muérame yo luego[152],

aparece en su original forma profana en el *Cancionero* de Montemayor[153], de 1554, donde se da como ajeno; es decir, como anterior al poeta. Y, claro está, aquí es profano:

Véante mis ojos
y muérame yo luego,
dulce amor mío
y lo que yo más quiero

Y profana es también la glosa.

Un caso claro, aunque con alguna dificultad textual, se plantea precisamente entre San Juan y Santa Teresa. Ambos desenvuelven un mismo tema inicial:

> Vivo sin vivir en mí,
> y tan alta vida espero,
> que muero porque no muero [154]

La dificultad consiste en que en el desenvolvimiento estrófico atribuido a la santa figuran algunas estrofas que aparecen también en el texto considerado como de San Juan. Parece que en el texto de Santa Teresa se han interpolado posteriormente algunas estrofas de su compañero en la reforma carmelita [155]. Lo que nos interesa ahora es el tema mismo. Esa oposición *muerte-vida,* ese juego conceptual *vivo sin vivir..., que muero porque no muero* son bien elocuentes. Vienen del gusto que por tales contrastes hay en la poesía trovadoresca (y que no es ajeno a la popular). A ese tipo pertenecen, entre una larga serie, los tres siguientes ejemplos, todos ellos próximos al que tratamos, en tema, en ingeniosidad conceptual, en contrastes:

> Muere quien vive muriendo,
> pues amor
> da al que vive más dolor... [156].

> Mi vida vive muriendo;
> si muriese viviría,
> pues que muriendo saldría
> del mal que siente viviendo... [157].

> ¿Eres, di, Juan, muerto o vivo,
> que tu mal yo no lo entiendo?
> —Vivo soy: vivo muriendo [158].

La lista de ejemplos sería interminable. He citado esos para que se vea qué ambiente tópico refleja la coplilla desenvuelta por Santa Teresa y San Juan. Más aún: el verso "que muero porque no muero" aparece, con ligerísima variante, en el *Cancioneiro Geral,* y en dos ocasiones: en una poesía de Don Juan de Meneses:

> Porque es tormiento tan fiero
> la vida de mí, cativo,
> que no vivo porque vivo
> *y muero porque no muero;*

y en otra de Duarte de Brito:

> E con tanto mal crecido
> de todo ya desespero,
> que por vos triste cativo,
> ya no vivo porque vivo
> *y muero porque no muero*[159].

Estos dos ejemplos, pueden depender el uno del otro, o estar asentados ambos en una base común. En este caso la base común contendría los dos versos

> que no vivo porque vivo
> y muero porque no muero.

El tema del "Vivo sin vivir en mí" y aun el verso mismo "que muero porque no muero", pertenecen, pues, a una larga tradición cortesana, a veces entreverada de popular.

Ahora podremos entender mejor las rúbricas que llevan en los manuscritos de obras de San Juan de la Cruz varias de estas composiciones en verso corto. Los títulos son, a veces, "Coplas a lo divino", "Glosa a lo divino", lo cual quiere decir que los amanuenses oscuramente situaban al santo dentro de esta tradición castellana, de glosar[160] o desenvolver a lo divino temas humanos. Que no se equivocaban nos lo van a probar los dos ejemplos que inmediatamente siguen. En el primero vamos a ver otra vez cómo una copla profana, y glosada a lo profano, la convierte San Juan a lo divino y la glosa a lo espiritual. En el segundo, cómo, por una serie de vínculos, podemos rastrear a veces el origen profano del tema y la fórmula de su conversión al plano religioso.

EL «NO SE QUE»

En el *Thesoro de varias poesías,* de Pedro de Padilla, publicado, nótese bien, el año 1580 [161], encontramos la siguiente poesía:

> Por sola la hermosura
> nunca yo me perderé,
> sino por un no sé qué,
> que se halla por ventura.
>
> Las mujeres muy hermosas
> son buenas para miradas,
> mas no para ser tratadas
> si no tienen otras cosas;
> lo menos es la figura
> para que yo el alma dé,
> y lo más un no sé qué
> que se halla por ventura...
>
> Un donaire extraordinario
> que promete maravillas
> y está haciendo cosquillas
> en el alma, de ordinario,
> es lo que mi fe procura,
> lo que siempre deseé,
> y, en efecto, es no sé qué
> que se halla por ventura.
>
> Desta gloria sienten poca
> algunos que se desvelan
> por damas que se les hielan
> las palabras en la boca;

se pagan como en pintura
de solo lo que se ve
y olvidan el no sé qué
que se halla por ventura [162].

¿Amor humano? ¿Amor divino? La composición es deliciosamente equívoca, pero en fin de cuentas vemos se refiere al amor humano, aunque al más alto, al más descontentadizo, al menos material. No nos maravilla que el que así cantaba, el que así mostraba su desvío por la hermosura carnal, buscando la interior, cinco años después se entrara también carmelita y se convirtiera definitivamente en poeta a lo divino. Pues bien: aunque no sea indiscutiblemente auténtica, figura en algunos manuscritos de San Juan de la Cruz, con grandes visos de autenticidad, la siguiente poesía, de la que solo citaré unas estrofas:

Por toda la hermosura
nunca yo me perderé,
sino por un no sé qué
que se alcanza por ventura.

Sabor de bien que es finito
lo más que puede llegar
es cansar el apetito
y estragar el paladar.
Y así por toda dulzura
nunca yo me perderé,
sino por un no sé qué
que se halla por ventura...

Que estando la voluntad
de Divinidad tocada,
no puede quedar pagada
sino con Divinidad;
mas por ser tal su hermosura
que solo se ve por fe,
gústala en un no sé qué
que se halla por ventura.

Pues de tal enamorado,
decidme si habréis dolor,
pues que no tiene sabor
entre todo lo criado;
solo, sin forma y figura,
sin hallar arrimo y pie,
gustando allá un no sé qué
que se halla por ventura.

San Juan de la Cruz—si en definitiva es de él la glosa—ha tomado la copla inicial, y con una leve sustitución de la palabra *sola* por *toda (por sola la hermosura, por toda la hermosura)* ha cambiado ya el sentido de un tema que tan de suyo estaba próximo al plano del espíritu. Y las estrofas de la glosa respiran amor de Dios.

LA CAZA DE AMOR ES DE ALTANERIA

Del segundo tipo que antes anunciaba (rastreo, por serie de vínculos, ahora rematada por un joven investigador) nos va a servir de ejemplo una composición de indudable autenticidad:

Tras de un amoroso lance,
y no de esperanza falto,
volé tan alto, tan alto,
que le di a la caza alcance...

Tan bella es—más tarde la hemos de estudiar en ese sentido— [163], que no sin miedo a la profanación me acerco a investigarla del lado humano. No sabemos que la copla inicial sea ajena a San Juan de la Cruz; probablemente es suya. Pero el origen del tema sí creo que lo podemos indagar. Ha nacido, como tantos otros de la poesía de nuestro santo, de una imagen del amor profano, traspuesta por él al amor divino. Hay toda una serie de composiciones de cancionero en que los lances del amor humano y su arriscado volar están expresados por medio de cetreras imágenes de la caza de altanería.

Así en Gil Vicente:

> Halcón que se atreve
> con garza guerrera,
> peligros espera.
> La caza de amor
> es de altanería...[164].

Así en Juan del Encina:

> Montesina era la garza
> y de muy alto volar:
> no hay quien la pueda tomar...[165].

Y en varios otros. Pues es esta imagen erótica de la caza de altanería la que le sirve a San Juan (sea suya la copla inicial o no) para expresar con una portentosa nitidez la alta contemplación de su amoroso vuelo divino. Es decir, aquí no tenemos aún, exactamente, el eslabón en que el poeta se engarza, mas sí sabemos que está dentro de la línea temática de nuestro cancionero: la falsilla para su ascendente creación ha sido una imagen, un modo expresivo habitual en la poesía profana del siglo XVI.

Así decía yo en la primera edición del presente libro. Debo añadir ahora que ese eslabón que yo presentía y echaba de menos, creo le poseemos ya, gracias a Francisco López Estrada[165 a]. Se trata de una composición incluida en la *Floresta de varia poesía,* del doctor Diego Ramírez Pagán, libro publicado en 1562, es decir, cuando San Juan de la Cruz tenía veinte años. Hela aquí:

Indirecta a una dama

Vi una garza a par del cielo
y un neblí en su seguimiento,
que volaba;
mas ella es de tanto vuelo,
que al más supremo elemento
se acercaba.

Maravillosa contienda:
que la sigue y la desea
y da lugar
que se vaya y se defienda,
porque dure la pelea
y su volar.

El sacre que la seguía,
si con vuelo muy ligero
se encumbraba,
cuanto más alto subía,
tanto más bajo y rastrero
se quedaba.

Y visto el merecimiento
de la garza y el denuedo
que tenía,
volaba con tanto tiento
y estaba con tanto miedo
que moría.

Es, pues, una delicada poesía erótica que está en la línea de "tema cetrero", que acabamos de citar. En ella (como en las coplas del "no sé qué", de Pedro de Padilla, o como en algunos pasajes de Boscán y de Garcilaso [166]) haría falta muy poco para que la composición pasase del sentido humano al divino. Tal como aparecía en Ramírez Pagán, ya pudo enfervorizar a nuestro místico. Que la leyó me parece seguro. Porque no se trata ahora solo de la identidad del tema, como en las poesías de Gil Vicente y Encina, que citábamos antes. Prescindiendo de lo común a toda la serie, hay, como señala López Estrada, extrañas coincidencias literales entre la poesía de la *Floresta* y la de San Juan de la Cruz. Ramírez Pagán:

> ...cuanto más alto subía,
> tanto más bajo y rastrero
> se quedaba.

San Juan de la Cruz:

> cuanto más alto subía...,
> tanto más bajo y rendido
> y abatido me hallaba.

Coincidencia, pues, de versos enteros; coincidencia de rimas *(ía, aba)*. Hasta alguno de los procedimientos estilísticos de reiteración, que tanta intensidad dan a la obrita de San Juan de la Cruz,

> y abatíme tanto, tanto,
> que fui tan alto, tan alto...,

podrían traer un recuerdo (pero lejano) de los versos de la *Floresta:*

> volaba con tanto tiento
> y estaba con tanto miedo...

Creo, por tanto, que tiene razón López Estrada: esta composición recogida en el libro de Ramírez Pagán es, en la larga cadena de poesías eróticas de tipo de cancionero e imagen cetrera, el elemento inmediatamente anterior a San Juan de la Cruz. En la *Floresta,* el tema había llegado a una gran delicadeza y espiritualidad humana. Estaba ya como presagiando su empleo como imagen divina. Este último impulso (no sin arrastre de algunos materiales de la forma anterior) fue el que con su creadora intuición le dio nuestro Santo. Con cuánta intensidad en el sentido, con cuánto acierto en la forma, lo hemos de ver cuando más adelante estudiemos el valor estético de esta poesía. Pero hay que señalar aquí, todavía, que este último impulso hacia una simbolización más alta, se había dado también antes de San Juan de la Cruz: hay otros ramales de la misma cadena de coplas "de imagen de caza", que habían desembocado ya en lo divino.

No, no había abierto aquí senda nueva el alto místico de Fontiveros. Ya en un libro de música de 1557 hallamos el mismo tema convertido a lo divino:

> Al revuelo de una garza
> se abatió el ñeblí del cielo,
> y por cogella de vuelo
> quedó preso en una zarza.
>
> Por las más altas montañas
> el ñeblí Dios descendía
> a encerrarse en las entrañas
> de la sagrada María.
> Tan alto gritó la garza,
> que «ecce ancilla» llegó al cielo,
> y el ñeblí bajó al señuelo
> y se prendió en una zarza [166 a].

Es una continuada alegoría de la Encarnación. Y alegoría de gran belleza.

Y en Gregorio Silvestre, tal vez aún con más cercanía a San Juan de la Cruz (aunque ya no se trata de caza de altanería: Dios es el ciervo herido de amor, que al pecador se le ofrece por caza), leemos esta canción:

> El ciervo viene herido
> de la hierba del amor:
> caza tiene el pecador...
>
> De nuestras culpas llagado,
> de nuestra salud ardiente,
> viene a matar en la fuente
> la sed de nuestro pecado;

tiro bienaventurado
que a Dios enclavó de amor:
caza tiene el pecador...[167].

He aquí, pues, la larga línea profana y la convertida línea espiritual, en cuya continuación están situadas las coplas de "Tras un amoroso lance"[167 bis].

QUE BIEN SE YO LA FONTE...,
AUNQUE ES DE NOCHE

Para otras composiciones en metro corto, de nuestro poeta, ya no nos es posible señalar ni modelo concreto ni tradición temática seguida. Tal ocurre con la que glosa este motivo inicial:

Sin arrimo y con arrimo,
sin luz y a oscuras viviendo,
todo me voy consumiendo,

(de muy probable autenticidad), llamada en algún manuscrito "Glosa a lo divino", y con las "Coplas... hechas sobre un éxtasis de alta contemplación", cuyo tema es:

Entréme donde no supe
y quedéme no sabiendo,
toda ciencia trascendiendo,

(estas, de autenticidad indudable). En las dos composiciones, sobre todo en la segunda, parece que hay que pensar que no solo las estrofas de la glosa y la misma coplilla primera, sino que hasta el mismo tema ha sido ya creado, inventado, con sentido místico. Si se unen al cancionero tradicional no es sino por ser, como todas las citadas antes, poesías de tema inicial y desarrollo en estrofas que en su final atraen por la rima a uno o dos versos del tema, que así vienen a servir de estribillo. Tipo de canción castellana, bien conocido, última evolución del primitivo y sencillo zéjel.

Mas no hemos tocado aún, en esta rebusca de elementos tradicionales, una extraña poesía que se aparta notablemente de todas las anteriores. Es la que tiene como tema inicial:

> Que bien sé yo la fonte que mana y corre,
> aunque es de noche.

Todo es extraño en ella. Ante todo el ritmo. Porque el tema, es decir, el punto de partida de la composición, aunque escrito generalmente en dos versos, forma una combinación de siete más cinco sílabas (no lejano del de la seguidilla, que durante el siglo XVI se estaba formando). Pero luego las estrofas del desarrollo están constituidas por dos endecasílabos pareados, tras los que se repite el monótono estribillo "aunque es de noche". Nótese que el estribillo va desligado de la rima de las estrofas:

> Aquella eterna fonte está ascondida,
> que bien sé yo dó tiene su manida,
> aunque es de noche.
>
> Su origen no lo sé, pues no lo tiene,
> mas sé que todo origen della viene,
> aunque es de noche.
>
> Sé que no puede ser cosa tan bella,
> y que cielos y tierra beben della,
> aunque es de noche...

De su belleza he de hablar más tarde. Hablemos ahora de su extrañeza. Lo primero que choca es la no diptongación de la *o* en *fonte*. ¿Por qué *fonte* y no *fuente?* Las ediciones a veces lo corrigen. Pero que en lo antiguo se sentía como *fonte* se prueba, si ya no porque algunos manuscritos introducen una estrofa en la que *fonte* parece rimar con *noche,* por el hecho de que otros cambien el segundo verso de la primera estrofa en

> que bien sé yo por fe la fontefrida,
> aunque es de noche [168].

Es decir, se establecía (¡otra vez!) una asociación con el romance *Fontefrida,* y nótese que en *fontefrida* la *o,* por átona, se explica bien no diptongada. Ninguna de estas dos variantes parece auténtica, pero indican por lo menos que los que las introducían consideraban *fonte* la forma indudable, puesto que en ella basaban sus alteraciones. Y *fonte* es también la lectura que da el más autorizado códice, el de Sanlúcar de Barrameda. La lectura *fonte* está, pues, perfectamente asegurada.

Nueva extrañeza nos produce el que un tema de tipo tradicional haya sido desenvuelto en endecasílabos. Porque que ese tema (sea él mismo o no producto de tradición) está moldeado al modo de la poesía tradicional, es cosa segura. Nada más popular que ese giro del comienzo, ese *que* enunciativo, sin verbo introductor. Citar comprobantes sería tener que aducir buena parte de nuestro cancionero.

> Que si viene la noche,
> presto saldrá el sole... [169].

> Que yo, mi madre, yo,
> que la flor de la villa
> me era yo... [170].

> Que de noche le mataron
> al caballero... [171].

El giro popular se hace aún más evidente, por ir inmediato al *que* el adverbio *bien.* Compárese:

Que bien me lo veo
y bien me lo sé,
que a sus manos moriré... [172].

Después de todo esto, creo que podemos interpretar mejor el tema inicial de esta composición si lo escribimos, no como aparece en los manuscritos, sino en tres versos:

Que bien sé yo la fonte
que mana y corre,
aunque es de noche.

Y notamos en seguida que lo que explica la persistencia de ese *fonte* (probablemente de origen dialectal occidental) es el haber sido fijado por rima asonante en *o-e: fonte, corre, noche*... Ha habido un momento en el que la supremacía lírica occidental la ha sentido lo mismo la poesía popular que la culta. Ya Menéndez Pelayo citó el hecho significativo de que el pueblo castellano, para afear a don Jaime el Conquistador su infidelidad a los tratos de Maluenda (cerca de Calatayud), cantara al rey aragonés un cantar con este estribillo:

Rey vello que Deos confonda
tres son éstas con a de Malhonda [173].

El galleguismo de la poesía castellana, concluye Menéndez Pelayo, no era, pues, "meramente erudito, sino que descendía a los cantares del vulgo". De esta remota penetración gallega podría ser un resto el villancico conservado por San Juan de la Cruz. En él, mutatis mutandis, *fonte* viene a ser a *fuente* lo que *Malhonda* sería a *Maluenda* caso de haber sobrevivido esta alusiva cancioncilla en territorio castellano.

¿Cómo sería el villancico original que, a lo

divino, nos transmite San Juan de la Cruz? Tal vez tuviera solo dos versos [174]:

Que bien sé yo la fonte,
aunque es de noche...

o cosa parecida. Pero podía también tener tres, ya en la misma forma transmitida por el poeta, ya en una semejante. Estos villancicos de tres versos, aconsonantados o asonantados, no son los más frecuentes; abundan, sin embargo, mucho:

En Calatañazor,
perdió Almanzor
ell atamor... [175].

Malherida iba la garza
enamorada;
sola va y gritos daba... [176].

Carillo, allégate acá.
—Di, ¿qué me quieres, zagal?
—Quiérote contar mi mal... [177].

Muchos años viva
quien nos convida,
muchos años viva, viva... [178].

Lo mismo en fórmulas paremiológicas citadas por Correas:

Mi comadre la gargantona,
convidóme a su olla,
y comiósela toda...

Echámelo todo en vino,
marido mío,
que no en lino... [179].

Resulta, pues, que este tema desarrollado por San Juan de la Cruz, es verosímilmente un muy antiguo villancico tradicional perdido, en el que la *o* de *fonte,* fijada por la asonancia, ha de ser explicada como dialectal. Observemos la contradicción: el villancico encaja bien dentro de las formas castellanas; la falta de diptongación, fijada por la rima, apunta a occidente.

Con las canciones gallegoportuguesas, precisamente, había sido puesta varias veces en relación esta poesía. Creo que el primero que hizo tal aproximación fue Teófilo Braga[180], y luego doña Carolina Michaëlis[181]; la acepta de refilón Henríquez Ureña[182], y la han mantenido hace poco Angel Valbuena[183] y María Rosa Lida[184]. Tanta coincidencia parecería indicar que todo está claro. Y, sin embargo, no es así. Quisiera rectificar algunas inexactitudes; no trato de descubrir el misterio de esta extraña composición.

Para Teófilo Braga no había duda: la canción de San Juan de la Cruz tenía la forma de una "serranilha" (así llamaba a las coplas paralelísticas, como las de los cancioneros portugueses).

Doña Carolina toma—como tantas otras veces—los datos manejados por Braga. No tiene nada que rectificar; y agrega solo que la canción popular vertida a lo divino por San Juan de la Cruz debía de ser semejante a una recogida en Parada (Tras-os-Montes), que empieza: *Eu ben sei quen no mar anda...* A juzgar por este comienzo, bien escaso puede ser el parecido (y cuando doña Carolina no cita más, es que mucho menos debe parecerse lo que sigue).

Valbuena nos da más pormenor. Para él el artificio de esta composición sería igual al de los cantares de amigo, con el mismo desenvolvimiento paralelístico, con la misma repetición de un verso corto. Solo en un punto puedo estar de acuerdo con este feliz y diligente historiador de la literatura española. Cita como prueba las dos primeras estrofas:

Aquella eterna fonte está ascondida,
que bien sé yo dó tiene su manida,
aunque es de noche.

En esta oscura noche de esta vida,
que bien sé yo por fe la fonte frida,
aunque es de noche.

Por desgracia, Valbuena [185] no ha manejado sino la edición del P. Gerardo [186], donde esas estrofas se leen así. Pero el segundo dístico falta en todos los textos más autorizados [187]; es sin duda una adición tardía. Y claro está que toda prueba de paralelismo mantenida sobre ese pareado cae por su base [188]. Pero consideremos la estrofa como de ley, ¿qué hay en ella de paralelismo al modo de los cancioneros gallegoportugueses? Entre los primeros versos de ambos dísticos (que en aquel sistema siempre introducen la alternancia paralela) no hay paralelismo alguno. Los dos segundos no tienen el tipo de paralelismo gallegoportugués, el cual exige el cambio de rima (en este caso, de *í-a* a *á-a)*. Dentro del sistema gallegoportugués los dos pareados deberían sonar, sobre poco más o menos, del siguiente modo:

Aquella eterna fonte está ascondida,
que bien sé yo dó tiene su manida,
aunque es de noche;

aquella eterna fonte está celada,
que bien sé yo dó tiene su morada,
aunque es de noche.

Pero, aunque la estrofa fuera de recibo (que no lo es) y aunque tuviera el paralelismo galaico (que no lo tiene), le falta en absoluto el cumplir con esa ley estética de la inmovilidad, característica del paralelismo portugués, como con acierto lo vio Entwistle[189]. Las coplas de "Aunque es de noche" son una progresiva exposición teológica, que podría haber sido desarrollada doctrinalmente; y en lo externo una enumeración, señalada por la constante repetición de *sé*. En las demás estrofas no hay el menor paralelismo; con otras palabras: no hay paralelismo alguno entre ninguna estrofa de las auténticas.

En verdad, de las tres condiciones inherentes a las canciones de amigo paralelísticas (Entwistle): inmovilidad, dístico con estribillo y paralelismo, esta composición de San Juan de la Cruz solo cumple la segunda.

A primera vista parece que podría señalarse también como nota divergente con relación al sistema gallegoportugués, la existencia de tema inicial (uno de cuyos versos se repite como estribillo), como en el villancico castellano y frente al sistema portugués, que tiene como característica la ausencia de tema o estribillo inicial[190]. Pero si observamos las canciones paralelísticas conservadas en lengua castellana[191], notaremos —y es curioso—que todas ellas tienen tema inicial. Parecen, pues, formas mixtas entre el tipo de canción gallegoportugués (cuyo movimiento parte de la estrofa para caer en el estribillo) y el castellano (cuyo movimiento parte del tema inicial, que se repetirá, parcialmente, como estribillo)[192]; o dicho de otro modo: parecen como adaptaciones al desenvolvimiento normal castellano. No nos detendremos aquí.

Pero sí es diferencia, y muy importante, que todos los dísticos de la poesía de San Juan de la Cruz estén formados de netos endecasílabos italianos, según el texto que, en el estado actual de la crítica, hay que considerar como más autorizado: el del manuscrito de Sanlúcar de Barrameda. Pero aquí surge otra vez un problema insoluble: en otro texto de venerable antigüedad, el de la edición bruselense del *Cántico,* de 1627, en la que la poesía que comentamos figura también al final del libro, dos de esos versos no son endecasílabos. En la versión de Sanlúcar (y más divulgada) ambos versos dicen así:

> Aquella eterna fonte está ascondida...
> ...y que cielos y tierra beben de ella.

Pero en la edición de Bruselas:

> Aquella eterna fuente que está ascondida...
> ...y que cielos y tierra beben en ella.

(Otra variación de la edición de Bruselas nos interesa menos ahora: falta en ella el que en el códice de Sanlúcar figura como dístico segundo.) Ateniéndonos a los dos versos discutidos, observemos que la edición de Bruselas les da un ritmo de 7+5 sílabas, es decir, el mismo de la primera línea del tema ("Que bien sé yo la fonte / que mana y corre").

Estas divergencias de la edición de Bruselas, ¿proceden del Santo? Imposible, por hoy, contestar a esta pregunta. Si las apostillas del códice de Sanlúcar son de mano de San Juan de la Cruz, ninguna autoridad habrá mayor. Pero el estudio de los autógrafos no se ha hecho aún con rigor científico. ¡Y bien lo merecían! Mientras tanto, no es posible desechar, de golpe, la edición de Bruselas surgida del medio en que había vivido la Madre Ana de Jesús, y poco tiempo después de la muerte de esta. Todo son incógnitas[192 a]. Ni podemos desautorizar, sin más ni más, el códice de Sanlúcar.

En medio de estas dudas, no deja de ser interesante esa observación que se arrastra desde Braga hasta Valbuena. Y hay que reconocer que en las coplas de "Aunque es de noche", ese pareado que forma cada estrofa, seguido del estribillo (de un solo verso y rima independiente) recuerda algo (a pesar de grandes diferencias) la estrofa del sistema paralelístico gallegoportugués.

¿Qué hilos tradicionales ha vagamente seguido y a la par enmarañado nuestro poeta en la estructura de estas "coplas", comenzadas por tema inicial, a la castellana (aunque ya aquí con una falta de diptongación que apunta a occidente); desarrolladas en pareados con estribillo (¡pero sin paralelismo y sin lírica inmovilidad!), que pueden parecer a la manera gallega; y (salvo dos versos dudosos) en endecasílabos, según nuestra escuela italianizante del siglo XVI?

Curioso problema. Yo, por lo menos, me guardaré de dar seguridades y claridades, cuando por ninguna parte asoman.

2

LOS ELEMENTOS POPULARES EN LOS POEMAS EN ENDECASILABOS

Hemos visto cómo una parte de la poesía de San Juan de la Cruz—la caracterizada por el uso de temas iniciales desarrollados en estrofas y parcialmente repetidos al fin de cada estrofa como estribillo—está profundamente enraizada en la vieja tradición de Castilla, ya directamente sobre la base popular, ya sobre la de los cancioneros cortesanos.

Se puede ahora, y es curioso, perseguir otro aspecto de este popularismo. Porque es que expresiones o temas gratos a la poesía popular se deslizan también, o señeros, o mezclados con otros influjos, hasta las composiciones endecasilábicas del poeta. Vamos a examinar algunos casos, procedentes todos del *Cántico espiritual*.

PASTORES ENAMORADOS

En la estrofa 32 dice la Esposa al Esposo:

> Escóndete, Carillo,
> y mira con tu haz a las montañas...

Recordemos la coplilla que oyó cantar el Santo, preso en Toledo:

> Muérome de amores,
> Carillo, ¿qué haré?
> —Que te mueras, ¡alahé! [193].

Después del análisis que hemos hecho, comprendemos que, si la anécdota es cierta, todo lo más que la cancioncilla pudo hacer sería reavivar en la imaginación del cautivo una palabra de la poesía tradicional y rústica, poesía en la que, como hemos visto, estaba profundamente empapado. Así es como nos explicamos que la palabra *carillo,* procedente de la pastoral rústica—repetida una y otra vez en las canciones populares—esté ahí, en los versos endecasílabos, chocando entre las dulzuras de égloga garcilasesca y los hieratismos provinientes del *Cantar de los Cantares,* que forman el ambiente externo y el fondo temático del *Cántico espiritual,* compuesto, precisamente, en parte, durante la prisión toledana.

Consideremos ahora las estrofas 19 y 20 del mismo *Cántico:*

Mi alma se ha empleado
y todo mi caudal en su servicio:
ya no guardo ganado,
ni ya tengo otro oficio;
que ya solo en amar es mi ejercicio.

Pues ya si en el ejido,
de hoy más no fuere vista ni hallada,
diréis que me he perdido,
que andando enamorada
me hice perdidiza y fui ganada.

El que el enamoramiento de los pastores tenga como consecuencia el abandono del ganado, es —desde el pastor Polifemo, de Teócrito—un lugar común de la égloga de tradición grecolatina. Para reducirnos a ejemplos españoles, así lo expresa el enamorado Albanio—desesperado por la esquivez de Camila—en la égloga segunda de Garcilaso, cuando cuenta que la fuerza del amor le tuvo cuatro días sin dormir ni comer:

Las ya desamparadas vacas mías
por otro tanto tiempo no gustaron
las verdes hierbas ni las aguas frías [193 a].

(Todavía, en su barroquismo, recibirá este recuerdo el *Polifemo* de Góngora.) Algunos motivos eglógicos se repiten y tienen un incesante renacer. Y la musa popular, ya sea con independencia de esa larga tradición grecolatina, ya por contactos con ella, gusta de las mismas ponderaciones:

Mis ovejas busquen dueño,
que no quiero ser pastor
después que sirvo al amor... [194].

A la fe, Gil, ya no puedo
guardar ganado ni sé,
después que me enamoré... [195].

Si repetimos los versos de San Juan

...ya no guardo ganado,
ni ya tengo otro oficio,
que ya solo en amar es mi ejercicio,

nos parecerá que no es de la lírica culta, sino de la popular, de donde le llega en este momento la inspiración.

AUNQUE SOY MORENICA

De estos cruces o combinaciones de una tradición popular y una culta, se pueden encontrar en nuestro poeta bastantes ejemplos. Hasta ahora no hemos hablado del máximo influjo que obra sobre San Juan: el del *Cantar de los Cantares*. Antes de pasar a analizarlo, veamos cómo puede entremezclarse su huella con la de la poesía popular. Leemos en el *Cántico:*

No quieras despreciarme
que si color moreno en mí hallaste,
ya bien puedes mirarme
después que me miraste,
que gracia y hermosura en mí dejaste.

No hay duda cuál es la fuente. En el *Cantar de los Cantares,* según la *Vulgata,* que era la versión que utilizaba San Juan de la Cruz [196], encontramos:

No me consideréis que soy morena, porque el Sol me estragó el color.

Estas disculpas de la morenez son las habituales en nuestro Cancionero (frente a la lírica culta, que no conoce más belleza que la rubia).

No desprecies morenica
tu color tan morena,
que esa es la color buena... [197].

Que si soy morena,
madre, a la fe,

que si soy morenita
yo me lo pasaré.
Esta mi color,
morena y tostada,
es color quemada
del fuego de amor;
tostóme su ardor
la tez de la cara,
en la cual declara
lo que me abrasé,
que si soy morenita
yo me lo pasaré...[198].

Aunque soy morenica y prieta
a mí qué se me da,
que amor tengo que me servirá[199].

La poesía popular antigua tiene aún que disculpar la morenez; la poesía popular de hoy, ya se ha dejado de prejuicios y canta exclusivamente a la morena salada. Esta coincidencia con la poesía popular carecería de significación en vista de la indudable fuente bíblica del pasaje, si la introducción de la palabra *carillo,* que hemos estudiado antes[200], no nos indicara que el poeta, lo mismo que fray Luis, consideraba al *Cantar* como una especie de pastoral rústica, y que quería en la proyección de su *Cántico* evocarlo con un sentido de virginalidad popular y pastoril.

LA HEBRA VOLADORA

De estos entrecruzamientos en la imaginación del poeta, de temas cultos y a la par populares, a veces se pueden encontrar casos de triple procedencia. La estrofa 22 del *Cántico* dice así:

En solo aquel cabello
que en mi cuello volar consideraste,
mirástelo en mi cuello
y en él preso quedaste,
y en uno de mis ojos te llagaste.

El P. Crisógono ha visto acertadamente—como hemos indicado ya—que este volar del cabello sobre el cuello procede de un soneto de Garcilaso [201]. Y, sin embargo, no cabe tampoco duda de que el poeta está a la par imitando y casi vertiendo a la letra el *Cantar de los Cantares:*

> Llagaste mi corazón, hermana mía, Esposa..., con el uno de tus ojos y con la una trenza de tu cuello [202].

Pues este volar de los cabellos con el aire, también es un tema grato a la poesía popular:

> Estos mis cabellos, madre,
> dos a dos me los lleva el aire.
>
> No sé qué pendencia es esta
> del aire con mis cabellos,
> o si enamorado dellos,
> les hace regalo y fiesta:
> de tal suerte los molesta,
> que cogidos al desgaire,
> dos a dos me los lleva el aire.
>
> Y si acaso los descojo,
> luego el aire los maltrata,
> también me los desbarata
> cuando los entrenzo y cojo,
> ora sienta desto enojo,
> ora lo lleve en donaire,
> dos a dos me los lleva el aire [203].

Detrás del ambiente cargado de los densos hieratismos provinientes del *Cantar de los Cantares,* que es lo que primero resalta en el *Cántico espiritual,* y detrás del tono eglógico, que procede directa e indirectamente—lo hemos visto—de Garcilaso, descubrimos como una tercera alusión ambiental que San Juan de la Cruz funde con las anteriores: la de la poesía pastoril a lo rústico. A esta luz cobran nuevo significado muchos otros pormenores que en una primera lectura nada descubren: la abundancia y precisión de los nombres rurales *(majadas, otero, ejido, vega, collado, soto...)* [204], el empleo de palabras típicamente pastoriles como *adamar, carillo* [205], los sabrosos arcaísmos castellanos, la alusión a inocentes delicadezas de los novios, como la de formar coronas de flores, entretejidas en un cabello de la amada... [206]. Muchos de estos elementos se condensan en la larga canción de la Esposa, que es todo el "estado de desposorios", comunicándole un encanto de noviazgo, rústico y primaveral.

El alma castellana y tradicional del poeta de Hontiveros rezuma también en expresión y se condensa en ambiente, hasta en un poema culto como el *Cántico espiritual,* donde la huella bíblica y el rastro garcilasesco son innegables y evidentes. San Juan de la Cruz, que en sus poesías de tema inicial y estribillo muestra su enraizamiento en la tradición popular castellana, nos deja ver también cómo hasta su misma poesía en endecasílabos le llegan emanaciones, temas, vocabulario de ese mismo campo popular, cómo a veces en él la tradición literaria culta y la popular del siglo XVI se entremezclan y quizá mutuamente se reinfluyen, cómo, en fin, una oscura fuerza selectiva pone antes al alcance de la imaginación del poeta los elementos populares y aun vivos de su Castilla creadora.

SAN JUAN DE LA CRUZ, POETA ESPAÑOL DEL SIGLO XVI

San Juan de la Cruz no es una excepción en nuestro Siglo de Oro. Le hemos visto profundamente arraigado en la tradición culta y en la tradición popular, y hemos señalado cómo se establecen en él delgados vínculos entre ambas. Es decir, se reflejan aquí otra vez los dos planos permanentes de nuestro arte, y casi podríamos decir que la constante dualidad de España: línea localista, popular, y línea universalista y aristocrática. El barroquismo, en el siglo siguiente, y aun desde finales del XVI, con su tendencia exageradora, forzará lo extremado de la bifurcación. En Góngora, en Quevedo, en Lope, la división será más evidente y aún más dramática. La pintura, la de un Murillo, por ejemplo, dará más netos contrastes. Solo el *Quijote,* con su doble héroe, será genial y total síntesis. Pero es característico del siglo XVI un inicial acercamiento y reinflujo de las dos vetas [207], la que viene de la tierra castellana, desde el fondo de la Edad Media, y la recién aflorada del Renacimiento, con su nuevo Virgilio, su Horacio y su Petrarca. Bien patente es esto en las traducciones y cercanas imitaciones. Injertos del un espíritu en el otro son lo mismo las tempranas versiones de Virgilio por Encina que las de Horacio por fray Luis. Y el Arcediano del Alcor tomará el minucioso latín del *Enchiridion Militis Christiani,* mosaico de lugares comunes de la estilística clásica, y, vulgarizándolo, le infundirá sustancia terruñera y cotidiano rodar [208]. No es este el sentido de la aproximación entre ambas vetas en San Juan de la Cruz, más cercano al modo de fray Luis. Expresiones como "la su cara galana" o "el disanto" en la traducción por fray Luis del *Beatus Ille,* tienen un valor estilístico cercano al de la introducción de la palabra "carillo" o al de la preferencia por ciertos temas de la poesía popular pastoril dentro de la imitación del *Cantar de los Canta-*

res en las endecasílabas estrofas del *Cántico espiritual* de San Juan de la Cruz. En ambos casos se quiere como evocar ligeramente un ambiente rústico conocido y próximo: evocarlo como reprimiéndolo a un tiempo mismo, para que solo reavive, y no sumerja, el ambiente original.

En San Juan de la Cruz, bien nutrido en la tradición popular, atento a la culta, y, en fin, entreverado de ambos influjos, se cumple, pues, la que ha de ser ya ley permanente de la poesía española, pero se cumple con el gracioso, moderado, tierno matiz oscilante, peculiar a su siglo.

IV

RAIZ BIBLICA

EL CANTAR DE LOS CANTARES

HAY una influencia culta sobre San Juan de la Cruz, que sobrepasa en importancia a todo lo que hasta ahora hemos estudiado. Si hasta aquí no hicimos más que rozarla, ya no la podríamos soslayar. Es la influencia bíblica del *Cantar de los Cantares.*

PASAJES IMITADOS

Los influjos concretos localizables son tantos —sobre todo en el *Cántico espiritual*—, que aunque no dejaría de ser interesante el perseguirlos todos, no es este el lugar para ello. Baste decir que con frecuencia toda una estrofa del *Cántico espiritual* es paráfrasis o traducción libre de un versículo del *Cantar*. Así en la estrofa "del cabello", que citábamos antes; así, en esta:

> Debajo del manzano
> allí conmigo fuiste desposada,
> allí te di la mano,
> y fuiste reparada
> donde tu madre fuera violada [209].

Cantar:

> Debajo de un manzano te desperté; allí fue corrompida tu madre; allí fue violada tu engendradora [210].

Cántico:

> Detente, cierzo muerto,
> ven, austro, que recuerdas los amores,
> aspira por mi huerto
> y corran sus olores,
> y pacerá el Amado entre las flores [211].

Los cuatro primeros versos reproducen este pasaje del *Cantar:*

> Levántate, cierzo y ven, austro, sopla por mi huerto y corran los aromas de él [212].

En cuanto al último verso ("y pacerá el Amado entre las flores") ese procede de otros versículos del *Cantar* (pues es frase que aparece repetida en él varias veces):

> Mi Amado... que apacienta entre los lirios... Mi Amado descendió a apacentar en los huertos... Yo para mi amado... que apacienta entre los lirios... [213].

Sería inútil el multiplicar ahora fáciles ejemplos y también el mostrar en pormenor con qué constancia, con qué repetición, cuando ya no es todo un pasaje el que libremente se traduce o interpreta, tupidamente afloran por todas partes, encendidas palabras, olorosas o nítidas imágenes que proceden del poema bíblico.

Creo más oportuno seguir otro camino, y preguntarnos hasta qué punto esta influencia es invasora y excluyente, hasta qué punto limita la actividad lírica original, confinando al poeta en la imitación. Esto equivale a plantearnos el problema esencial de la creación lírica en los poemas centrales del santo: el de la *Noche oscura,* el del *Cántico espiritual* y el de la *Llama:*

San Juan de la Cruz se ve arrastrado a la imitación por la invencible inefabilidad de la cima del proceso místico: la unión. Hay como un esfuerzo no coronado para llegar a la descripción estricta de la unión de semejanza. Pero la voz humana—aun la voz divina de nuestro poeta—balbucea y—a veces en sus comentarios en prosa—al fin enmudece ante lo inexpresable. El mismo nos lo dice al principio de la *Subida del Monte Carmelo,* aunque en ese pasaje ni siquiera parece referirse a la unión propiamente dicha, sino a los trances místicos preparatorios de ella: "ni basta ciencia humana para saberlo entender, ni experiencia para saberlo decir; porque solo el que por ello pasa lo sabrá sentir, mas no decir"[214]. Y lo mismo en las coplas de "Entréme donde no supe":

> ...no diré lo que sentí,
> que me quedé no sabiendo,
> toda ciencia trascendiendo.

En la *Llama,* al comentar el pasaje

> ¡Cuán manso y amoroso
> recuerdas en mi seno...!,

declara: "Totalmente es indecible lo que el alma conoce y siente en este recuerdo de la excelencia de Dios"[215]. Y al final de la misma *Llama,* cuando iba a interpretar los versos últimos de la postrera estrofa:

(y en tu espirar sabroso,
de bien y gloria lleno,
¡cuán delicadamente me enamoras!)

nos dice: "En aquel aspirar de Dios yo no querría hablar; porque veo claro que no lo tengo de saber decir, y parecería menos si lo dijese... Y por eso, aquí lo dejo"[216]. Y no pasa adelante.

Ni deja de tener misterio que los dos comentarios del poema de la *Noche,* es decir, la *Subida del Monte Carmelo* y la *Noche oscura del alma,* estén inacabados, y que los dos se detengan precisamente en las estrofas segunda y tercera[217] de aquella poesía, que tiene ocho. El comentario explica nítidamente el camino hacia la unión a través de la noche del sentido y de la oscura noche espiritual, pero no la unión misma[218]. ¿Fueron tal vez acabados los comentarios, y el temor suprimió luego las páginas en que se trataba lo inefable, según llega a pensar Baruzi?[219]. ¿Es que el escritor no se atrevió a continuar la obra? No lo sabemos.

Esta inefabilidad de la unión suprema es el íntimo torcedor de la mística universal. No: la ciencia no lo puede comprender, la experiencia no lo sabe decir. He aquí que ha llegado el momento del poema. La poesía es, de todas las actividades de los hombres, la que más lleva en sí la huella de un origen divino. Y a la poesía recurre San Juan de la Cruz, y poesía han sido siempre en la mística de todos los tiempos los intentos descriptivos de los estados de unión. Mas, ay, la poesía, aun la más alta, no puede dar tampoco sino sombra de una luz, recuerdo de un recuerdo. Sensaciones, sombras, accidentes: eso es todo. Y allí queda en el fondo la esencia última, intacta, intangible.

No pudiendo expresar por medio de la ciencia, que no sabe, la poesía mística (en verso o en prosa) ha recurrido siempre a las imágenes de la fantasía. Sobre todo a las imágenes de la alegoría amorosa.

No cabe duda que entre la unión del amor humano y la divina unión no puede haber propia semejanza, porque hay la diferencia esencial de que en el primer vínculo los dos términos son finitos, y en el segundo, uno infinito, que atrae en cierto modo a su infinitud el término finito. Pero la grandeza, la belleza del amor humano y su más alto ennoblecimiento reside precisamente en ser, de nuestras operaciones y movimientos espirituales, el único que, aunque a gran distancia, parece como que pálidamente se asemeja a aquella simbiosis divina. De aquí nace un humano equívoco, utilizado, a veces con sentidos contrarios, lo mismo por las filosofías de tradición platónica que por las escuelas místicas, y también por la tradición mística cristiana: el amor humano como pálida simbolización del amor divino [220].

Pero es precisamente en el *Cantar de los Cantares* donde, sin par posible, el amor humano está expresado con una extraña, nunca superada, embriagante belleza. Su intenso sentimiento queda aún realzado para las imaginaciones europeas, por el trascendente perfume oriental, por el entero y terso colorismo, por la intuitiva fuerza estigmatizadora de sus imágenes y sus densas palabras. Una larga cadena interpretativa ha visto en la relación entre la Esposa y el Esposo del *Cantar de los Cantares,* ya los místicos desposorios de Cristo con su Iglesia, ya los amores del alma humana con su Dios.

San Juan de la Cruz no hace sino seguir esta tradición. De tal influjo procede casi totalmente (con el matiz diferenciador que luego señalaremos) el *Cántico espiritual*. Pero tal influencia, ¿impregna también los otros poemas centrales de su obra? Volvamos los ojos al de la *Noche* y al de la *Llama*.

ORIGINALIDAD DE LA «NOCHE» Y LA «LLAMA»

El poema que más honda y apasionadamente (concepto y trance) se acerca al misterio de la unión divina es el de la *Llama*. No se nos dice nada en él del proceso que hasta ese estado lleva; nada tampoco intrínsecamente de la esencia del vínculo mismo. Pero el alma, en rapto, exclama, y sus gritos cantan los efectos del suave fuego invasor. La voz se va adensando, y llega a soterrañas profundidades en la estrofa tercera; pero es en la cuarta y final donde se alude al centro mismo del misterio, al "aspirar" del Espíritu Santo. Es aquí adonde no se atrevió a tocar el comentarista de sus propios transportes[221]. Esta obra, la más original, y la más inmediata al centro obsesionante, dentro del proceso místico, ¿está enteramente desligada del *Cantar de los Cantares?*

El punto de arranque imaginativo está condensado en las dos palabras que presiden al poema: *llama* y *lámparas,* el fuego, con sus dos atributos: lo abrasante y lo iluminativo. La llama que lame y tiernamente hiere con su lamido, en la estrofa primera:

> ¡Oh llama de amor viva,
> que tiernamente hieres
> de mi alma en el más profundo centro...!

Y las lámparas iluminadoras, en la estrofa tercera, tal vez la más reconcentrada e intensa, la más feliz en la unión de idea y sentimiento, concepto e imagen, de toda la poesía de San Juan de la Cruz.

> ¡Oh lámparas de fuego,
> en cuyos resplandores
> las profundas cavernas del sentido,
> que estaba sordo y ciego,
> con extraños primores
> calor y luz dan junto a su querido!

Esta asociación y esta colocación, no exenta de pauta, de las imágenes *llama* y *lámparas* (al comienzo de las dos estrofas impares, de un poema que tiene cuatro), están, si no me equivoco, sugeridas por una frase del *Cantar de los Cantares*: "lampades ejus, lampades ignis atque flammarum": "sus lámparas son lámparas de fuego y de llamas" [222]. La interpretación, la condensación de sentido, ha sido vertiginosamente profundizada por la intuición lírica de San Juan de la Cruz.

A resultados semejantes en el fondo, si levemente diferenciados en la forma, nos va a llevar el poema de la *Noche*. Este divide netamente sus ocho estrofas en dos partes: la noche en sentido estricto (las cinco primeras estrofas) y la unión (las tres últimas). En la primera parte no hay más recuerdo del *Cantar de los Cantares* que el de la nocturna salida del alma en busca de Dios, de la Esposa en busca del Esposo:

En mi lecho por las noches busqué el que ama mi alma: le busqué y no le hallé.

Me levantaré y daré vueltas a la ciudad: por las calles y por las plazas buscaré al que ama mi alma [223].

La coincidencia (en la primera parte, en la que he llamado de "la noche" en sentido estricto) no va más allá de ese punto inicial: la salida nocturna. Lo demás todo es diferente, todo voladora y a la par minadora creación de San Juan [224]:

En una noche oscura,
con ansias en amores inflamada
¡oh dichosa ventura!,
salí sin ser notada,
estando ya mi casa sosegada.

A escuras y segura,
por la secreta escala, disfrazada,
¡oh dichosa ventura!
a escuras y en celada,
estando ya mi casa sosegada.

Estrofas que han de leerse al par del comentario de su autor. Porque si hay ocasiones en que el comentario, con su pormenorizado y a veces extravagante alegorismo nos enfría el entusiasmo producido por la creación lírica (no deja de ocurrir así en algunas estrofas del *Cántico espiritual)* [225], a la belleza poemática de esta oscura noche de búsqueda en que la Amada sale para unirse a su Amado, corresponde la belleza conceptual de las dos noches del sentido y del espíritu, máxima creación ideológica de San Juan de la Cruz.

Mas al entrar en las tres estrofas finales del poema de la *Noche,* estrofas de la unión, todo cambia. Son bellísimas, de una belleza temblorosa e impregnante. No es de su belleza de lo que tengo que hablar aquí [226]. Lo interesante ahora es que la paralela seguridad conceptual que había contrapuntado las primeras estrofas, las de las noches del sentido y del espíritu, ya no existe. El comentarista doctrinal ha enmudecido, como hemos dicho antes. Y el poeta balbucea densamente aromadas, aladas imágenes. De este perfume adivinamos el original pomo. El poeta, ante lo inefable, se ha refugiado otra vez (como en el *Cántico)* en el ambiente alegórico del *Cantar de los Cantares,* si no exactamente en las mismas alegorías de este poema. No se busque correspondencia exacta entre estas últimas estrofas de la *Noche* y pasajes enteros del *Cantar,* porque no existe. Pero el efluvio del poema bíblico y su representación erótica están allí, y para mostrar a las claras esto que primero intuimos, han quedado (si bien trasplantadas a otras imágenes) como resellando cada una de estas tres estrofas tres expresiones del *Cantar de los Cantares:* los *cedros,* las *almenas,* y *entre azucenas. Cedros* y *almenas* que van en dos versos sucesivos en la poesía del místico español (último verso de la estrofa sexta y primero de la séptima), ocurren precisamente en un mismo versículo del poema hebraico[227]. Y en este, las expresiones "entre los lirios", entre las azucenas, "cercado de lirios", cercado de azucenas (lo hemos visto antes)[228] constituyen casi un ritornelo. Mas, las *almenas* —sugeridas por el *Cantar*—se cruzaron en la imaginación del santo con el pasaje de la torre, de Sebastián de Córdaba, y fue, según este—ya lo hemos visto—, como se modeló la escena de amor en la noche[229]. Es característico de nuestro poeta el cruce de varias trayectorias de recuerdo.

Vemos, pues, que el pensamiento poético de San Juan (pautado soterrañamente por su pensamiento conceptual, que en el momento de la redacción lírica aún no se había expresado) marcha con rigurosa exactitud, con iluminado hallazgo, en los grados que preceden inmediatamente a la unión, o al intuir, divinamente humanizándolos, los efectos inmediatos de la misma. Pero al ir a hablar de ella, voluntariamente cesa[230] en el plano doctrinal, y en el lírico se queda balbuciendo:

> era cosa tan secreta,
> que me quedé balbuciendo,
> toda ciencia trascendiendo.

Divinamente balbucea el santo, y, "sin arrimo", se refugia en la alegoría del amor humano, deshaciéndose en música, embriagándose en densos aromas encendidos, glorificándose en piñas de rosas y color, todo a través del encantado mundo imaginario del *Cantar de los Cantares*.

Su pensamiento poético trabaja creando, y sueña recreando. Y estas dos zonas de su actividad lírica casi se distinguen limpiamente. El poema de la *Llama* y la primera parte del poema de la *Noche* (la que he llamado "de la noche" en sentido estricto) representan su gran potencia creativa. El poema del *Cántico* y las tres estrofas últimas del de la *Noche* nos muestran al lírico en trance de original recreación, pues aquí o ya sigue en libérrima, entrecortada y zigzagueante paráfrasis el texto bíblico, o ya prolonga personalmente la esfera ambiental y el firmamento imaginativo de aquel mundo de absorta belleza.

V

EL ESTILO

TRES influjos, pues: el de la poesía bíblica del *Cantar de los Cantares,* y los dos de la poesía castellana de su siglo: tradición de la poesía culta italianizante y tradición de la poesía popular y de los cancioneros. El anterior análisis, en busca de fuentes directas o indirectas, no ha dejado de proporcionarnos, al paso, un conocimiento de muchos aspectos de la lírica de San Juan de la Cruz. Si al buscar el rastro de los modos españoles de su siglo hemos tenido que rozar las formas y los temas, en esa misma indagación y en la de la extensión y la profundidad del influjo de la poesía bíblica, hemos llegado al planteamiento de problemas más amplios: el de la intención estética del escritor, y el de lo creativo en su obra.

Estamos persiguiendo un estilo. Para mí, estilo es todo lo que individualiza a un ente literario: a una obra, a un escritor, a una época, a una literatura. El estilo es el único objeto de la crítica literaria. Y la misión verdadera de la historia de la literatura—esa lamentable necrópolis de nombres y de fechas—consiste en diferenciar, valorar, concatenar y seriar los estilos particulares [231].

Labor de concatenación y seriación es la que he intentado en las páginas que anteceden. No hay, exactamente, problemas de valoración cuando se trata de San Juan de la Cruz, porque el consenso unánime de los españoles que tienen conocimiento de cosas de belleza, hace ya tiempo [232] que ha fallado que él es el más grande poeta de España, y si surge una duda, es solo la de si fray Luis de León habrá de colocarse como su parigual o siguiéndole de cerca. Sí convendrá justificar esa valoración, y eso es lo que intentaré principalmente en los dos últimos capítulos de este libro. Ni de esa tarea inicial, ya realizada, ni de la final, que anuncio, podía estar por completo ausente el análisis diferenciador. Mas a este voy a dedicar ahora en especial mi esfuerzo, dirigiéndolo precisamente a esas zonas que de ordinario se consideran como peculiarmente estilísticas. Advertiré que para un estudio de esta clase, la brevedad de la obra lírica de San Juan será siempre un grave obstáculo.

1

BUSQUEDA

VERSO, RIMA, ESTROFA

Acercándonos a lo más externo, deberíamos considerar primero la versificación. Prescindo de las composiciones en metros cortos que han sido ya desde este punto de vista algo estudiadas en un capítulo anterior. Reduciéndonos a las poesías en endecasílabos, hay que confesar que el análisis nos revela muy poco.

La estrofa. San Juan de la Cruz emplea en el poema de la *Noche* y en el del *Cántico,* la lira. En el de la *Llama,* una combinación de seis versos *(abCabC),* que como hemos visto procede indirectamente de Garcilaso. Es rara innovación: la estancia garcilasesca de donde procede tiene trece versos *(abCabC/cdeEDfF)*[233]; San Juan ha desglosado los seis primeros y los ha convertido en estrofa. Todavía en el poema del *Pastorcico* ensayará otro curioso tipo, cuyo origen ignoro. Este poema está formado de cuartetos endecasilábicos con la ordenación *ABBA,* pero la rima *A* persiste en los versos primero y cuarto de todos los cuartetos. Y el cuarto verso de la primera estrofa

> y el pecho del amor muy lastimado,

se repite con ligerísimas variantes como final de todas las demás, menos la segunda. Mas el verso último de esta se reproduce como primero de la tercera estrofa. Repetición temática y ligazón que no son en este poema ni capricho ni externo artificio retórico. Mas lo que nos interesa ahora es que San Juan de la Cruz, no solo no nos aparece ajeno a los problemas técnicos de la forma poética, sino que le vemos en su breve obra endecasilábica diríamos que más preocupado por ellos que la mayor parte de nuestros poetas del Siglo de Oro, en este punto muy bien avenidos con lo existente y bastante rutinarios. En cuatro poemas endecasilábicos nos ha dejado tres combinaciones estróficas distintas: una, tradicional, la lira; otra, adaptada, en cierto modo creada por él (la de la *Llama);* otra (la del *Pastorcico),* no sé si creada o imitada, desde luego no usual. Y habría que agregar aquí aún la extraña composición de las coplas *Aunque es de noche,* que hemos estudiado ya [234]. Parece que hay a un mismo tiempo preocupación y despreocupación por el utensilio. Elige tipos distintos, pero la elección se hace de un modo raro: por corte, en la *Llama;* con un resultado asimétrico (estrofa segunda) en el *Pastorcico;* con una combinación extraña de villancico popular y pareados endecasilábicos, en *Aunque es de noche.* No aparece el artífice minucioso; pero tampoco resulta comprobada por ninguna parte la leyenda del poeta natural que canta como un pájaro.

El estudio de la rima no nos revela nada de interés especial. No esquiva el mezclar en una misma lira dos consonancias que fueran asonantes entre sí:

> Allí me mostrarías
> aquello que mi alma pretendía... [235].

Pero el mismo uso se encuentra en fray Luis de León:

> Ya dende Cádiz llama
> el injuriado conde, a la venganza... [236].

Tampoco se preocupa de asonancias y consonancias entre estrofas inmediatas (compárese: *Noche,* estrofa tres y cuatro).

Observemos, en fin, pues es pormenor que debe unirse, si no al estudio de la estrofa, al del período poético, la existencia escasísima de algunos manierismos o artificiosidades. De este tipo son las repeticiones en el *Pastorcico,* que, según acabamos de indicar de pasada, sirven para realzar la lánguida trabazón sentimental del poema. Alguna que otra vez se puede señalar la reiteración de una misma palabra, o de palabras relacionadas entre sí, dentro de una misma estrofa:

En soledad vivía,
y en soledad ha puesto ya su nido,
y en soledad la guía
a solas su querido,
también en soledad de amor herido[237].

Esta insistencia no es sino un subrayar en lo fonético la importancia conceptual de la noción "soledad", y los comentarios lo hacen bien patente[238]; pero, si atendemos al origen literario, hemos de reconocer su relación con ciertos artificios de los cancioneros. Ni falta en algún momento una dilatación retórica que contrasta con su habitual cenceño decir y su rápida andadura; así en aquellos versos de la *Llama:*

¡Oh cauterio suave!
¡Oh regalada llaga!
¡Oh mano blanda! ¡Oh toque delicado!

Es que el afecto inefable se le vierte en exclamaciones jaculatorias; pero no será ocioso recordar cómo es casi casi seguro que en ese pasaje hay un recuerdo directo de Garcilaso[239].

San Juan de la Cruz no vacila, pues, en usar alguna vez los artificios estilísticos que le ofrecía la tradición literaria. Pero en él no resultan nunca fórmulas exteriores, fríamente sobrepuestas, sino que le sirven de atinados, intuitivos refuerzos de la expresión afectiva o del desarrollo conceptual.

El verso. Nos vamos a limitar al estudio del endecasílabo. Lo primero que en él resalta es la acentuación, que cae constantemente sobre la sexta sílaba. En toda la obra de San Juan de la Cruz no recuerdo sino un endecasílabo de acentuación en cuarta y octava:

> rompe la tela deste dulce encuentro,

y otro de acentuación dudosa[240]. No hay que decir cuánto se aparta en esto de Garcilaso y de fray Luis de León. Más interesante sería probar, pero quede solo como apunte, que en cambio coincide aquí con el manejo del endecasílabo por poetas poco técnicos y de formación popular. Si es así, este dato, unido a los que encontramos al tratar de la estrofa, nos mostraría al santo como alejado de las últimas preocupaciones del artífice: varía la estrofa, pero procede al hacerlo con cierta rudeza; y ni se para a utilizar la bella variedad musical que el endecasílabo le ofrece.

Pero aquí entra la maravilla, porque este verso de monótona acentuación en sílaba sexta, llega a veces a fraguar en unidades, en criaturas de arte que no han sido igualadas en lengua española:

> y el ventalle de cedros aire daba...
> entre las azucenas olvidado...
> en par de los levantes de la aurora...
> y el mosto de granadas gustaremos...[241].

Asombra en este endecasílabo su condensación —pero de esto voy a hablar después—[242] y su ligadísima estructura. Poco sinalefado, es, no obstante—o tal vez por eso mismo—[243], de trabazón y unidad indestructibles. La única acentuación en sexta le da mayor rapidez, porque la rítmica imaginativa no necesita trasponer más que una cumbre (y no las dos de cuarta y octava sílaba). Compárese:

> si en esos tus semblántes plateados...
> rompe la téla deste dúlce encuentro... [244].

En el verso de acentuación en sexta se precipita el cuasihemistiquio inicial largo ("si en esos tus semblántes...") [245] ansioso de llegar a la cima de su ritmo, y comunica así su velocidad a todo el musical sistema.

Vamos de asombro en asombro. Porque a primera vista, ¿quién pensaría encontrar en poeta tan apartado de las pequeñas sabidurías de oficio efectos de aliteración? He aquí los silbidos de las *eses:*

> pasó por estos sotos con presura...
> el silbo de los aires amorosos...
> estando ya mi casa sosegada... [246].

En los dos primeros ejemplos, presura silbadora de la saeta o de los frescos vientos de la llanura; en el último, siseo evocador del silencio, el sosiego y el reposo. Es que, si lo consideramos bien, la aliteración, en un verdadero poeta, no es nunca un artificio, sino un fenómeno intuitivo, profundamente ligado a la entraña de la creación. A este tipo de hallazgos corresponde sin duda el verso

> un no sé qué que quedan balbuciendo... [247].

En general, la sucesión inmediata de tres sílabas *que* resultaría molesta al oído. En este caso, tras la vaguedad de *un no sé qué,* esa repetición indica una duda, un entrecortado titubeo, que va a complementarse, a recibir su justificación con el gerundio *balbuciendo* en el que cuaja la acción verbal.

Puestos a apurar artificios, encontraríamos algunos ejemplos de trasposición, aunque de los tipos menos complicados:

> de mi alma en el más profundo centro...
> y miedos de las noches veladores...[248].

Creo haber demostrado en otro lugar[249] cómo el hipérbaton, o en general la alteración del orden normal de las palabras, puede ser un sutil instrumento expresivo. Considérese ese último endecasílabo y véase en él cómo al separarse el adjetivo de su substantivo, en ese lapso que va desde *miedos* hasta *veladores* se intensifica el nocturno desvelo, la expectación, la prolongada y temerosa alerta. Estos casos de trasposición estaban ya en la poesía del siglo XVI. De allí los toma San Juan de la Cruz. Mas, sobre todo en el segundo ejemplo, la fuerza selectiva que le lleva a usarlo, precisamente en esa ocasión, pertenece también al más oscuro y prodigioso fondo de la creación poética.

CONCEPTO

Corresponde también, según mi criterio, al estudio del estilo el análisis de ciertos pasajes en que expresión externa y concepto se funden con características especiales, por lo repetidas o lo resaltadas. Aquí notaría primero el contraste que ofrecen los lugares de gran vaguedad conceptual, plasmados a veces en fórmulas del lenguaje corriente, y aquellos otros en que un sutil concepto se expresa con alambicada y a la par matemática precisión.

Abundan lo bastante para que no se escapen ni al lector más ligero los ejemplos de la primera clase. Son expresiones vagas, indeterminadas, borrosas: "aquello que mi alma pretendía", "aquello que me diste el otro día", "un no sé qué que quedan balbuciendo", "un no sé qué que se alcanza por ventura"[250]. Todas ellas fórmulas expresivas de la imposibilidad de expresión de lo inefable.

Del segundo tipo ofrecen bastantes ejemplos las poesías menores. En otro lugar las hemos de someter a análisis, y allí quedará patente su tendencia conceptual. Daré solo un ejemplo endecasilábico:

> Mas ¿cómo perseveras,
> oh vida, no viviendo donde vives,
> y haciendo porque mueras
> las flechas que recibes
> de lo que del Amado en ti concibes?[251].

Toda la estrofa expresa una contradicción de las que vamos a estudiar en seguida, y que en el segundo verso está subrayada con el juego *vida-viviendo-vivir*. Mas son ahora las tres últimas líneas las que me interesan: "el alma concibe en sí algo de la belleza del Amado, y lo así concebido emite efluvios, como flechas que otra vez el alma vuelve a recibir, tan poderosas, que malamente la hieren"[252]. Toda la imagen es complicada y finamente intelectualista. Son las sendas del más sutil, del más auténtico conceptismo.

En esta dirección saltan a nuestro encuentro las oposiciones y contrastes. Las encontramos repetidas veces lo mismo en las poesías en endecasílabos que en las coplas castellanas. Son expresiones como: "cauterio suave", "llaga delicada", "que tiernamente hieres", "con llama que consume y no da pena", "matando muerte en vida la has trocado", "oh vida, no viviendo donde vives", "me hice perdidiza y fui ganada", "que muero porque no muero", "vivo sin vivir en mí". "Entréme donde no supe / y quedéme no sabiendo / toda ciencia trascendiendo", "y abatíme tanto, tanto / que fui tan alto, tan alto..." [253]. La antítesis es un recurso estilístico de todas las épocas; existente en la poesía popular, se agudiza en las escuelas más cortesanas y cultas. Arrastrada de los cancioneros a la segunda mitad del siglo XVI, va a tener un extraordinario desarrollo en la poesía barroca, en el conceptismo y el gongorismo del siglo XVII. Esto por lo que se refiere a los orígenes literarios. Pero ¿por qué ha de abundar tanto en un escritor tan poco inclinado a manierismos como es San Juan de la Cruz? La clave está, otra vez, si no me engaño, en la inefabilidad de los estados cimeros del proceso místico. Una de las más fuertes raíces escolásticas del pensamiento lógico y del criterio psicológico, en la doctrina de San Juan de la Cruz, es la proposición "dos contrarios no pueden caber en un mismo sujeto" [254]. Esto en cuanto a la razón. Pero los cuadros lógicos se rompen precisamente ante los estados inefables de las alturas místicas. La ciencia no los puede entender, la experiencia no los sabe expresar. Toda la formalidad de nuestra pobre ciencia humana se derrumba, y San Juan de la Cruz echa mano, precisamente, de la imposible superposición de contrarios en un mismo sujeto, para mostrar cuán violenta, cuán total y clamorosa es aquella ruina. Deniega así en el trasunto de su experiencia, su básica afirmación doctrinal; y la destructora atribución de contrarios a un mismo sujeto le sirve como de aniquiladora fórmula de expresión de lo inefable. Y allá en las cimas del otero, morir es vivir, la llama abrasa regaladamente, perderse es ganarse, abatirse es subir a los astros; ignorar, trascender toda ciencia.

LEXICO

La abundancia del léxico popular y rústico (sobre todo en el *Cántico)* ya fue tocada por mí al hablar de los elementos populares[255]. Son palabras como *ejido, majadas, manida, adamar, compañas…*[256], bien abundantes y de intención evidente. Quiero señalar solo, junto a esta veta, las palabras de sentido hierático, procedentes del *Cantar de los Cantares: ciervo, Aminadab, cedros, almena, azucenas, granadas, palomica, tortolica…*[257], y, en fin, la abundancia de voces cultas, fuertemente latinizantes: *vulnerado, ejercicio,* "ocupación", *nemoroso, socio,* "consorte", *emisiones, bálsamo, discurrir,* "marchar", *aspirar,* "soplar"…[258]. Otras, como *fonte*[259], son evidentes dialectalismos. Otras, como *esquiva*[260], proceden del vocabulario amoroso trovadoresco. Todo estudio de léxico, dada la brevedad de la obra poética, habrá de apoyarse en el mucho más extenso de los comentarios, que yo no quiero tratar en este libro. Mas lo indicado basta para ver con qué fidelísima exactitud la vida se refleja en la obra. Tenemos huellas rurales y dialectales: nutrición del niño de Fontiveros. Cultismos: imbibición del escolar salmanticense. Hieratismos bíblicos: producto de sus estudios escriturarios. Voces poéticas: huella de la lectura de cancioneros y de Boscán y Garcilaso.

Señalemos, en fin, la relativa frecuencia de los diminutivos (también existente en los comentarios): *pastorcico, palomica, tortolica, carillo, avecica*[261]. Esta válvula de escape de lo afectivo es, sin embargo, manejada con mesura por el poeta. Tal mesura es lo que debían imitar algunos escritores seudomísticos de nuestros días.

2

HALLAZGO

DESAZON Y BUSQUEDA

Si volvemos los ojos a lo conseguido hasta ahora en este camino de análisis, el resultado es para descorazonar. Hemos llegado a encontrar algunos elementos positivos, característicos del arte de San Juan. Pero nada, o muy poco, que explique esa sensación de frescura, de virginalidad y originalidad que nos produce su obra y que es como un delicioso oreo cuando a ella pasamos desde las de otros poetas, aun de los mayores de nuestro Siglo de Oro. Habrá que interrumpir, pues, el procedimiento analítico, aunque solo sea por un momento, para dejar obrar a la intuición. En estas ocasiones suele ayudar el alejarse, el cerrar los ojos. Pensemos ahora en dónde podrá residir, por lo que al lenguaje se refiere, esa impresión de novedad, de infinita llanura, virginal, cencida, sobre la que corren brisas recién creadas, que nos da el arte de este poeta. Su expresión es más fuerte, más impregnante, más sintética que la de los otros que tanto hemos saboreado. Hay en él una rapidez, una condensación, una intensidad abrasadas y penetrantes.

> ¿Adónde te escondiste,
> Amado, y me dejaste con gemido?
> Como el ciervo huiste,
> habiéndome herido,
> salí tras ti, clamando, y eras ido [262].

"...y me dejaste con gemido". Es el primer grito, el primer alarido de abandono, del preso en la cárcel de Toledo. Y es la palabra, el prodigio de la palabra del hombre, neta, desnuda, en toda su hiriente fuerza de expresión. ¡Cuán densa es toda la estrofa, cómo está cargada de pasión y de drama, de acción y de sentimiento, de incidencias parciales y de sentido totalizador! ¡Cómo en el último verso

> salí tras ti clamando y eras ido,

se condensan relaciones gramaticales y operaciones humanas, la esperanza activa y el desaliento, el grito y la desolación!

Y tomaríamos otras estrofas:

> A las aves ligeras,
> leones, ciervos, gamos saltadores,
> montes, valles, riberas,
> aguas, aires, ardores,
> y miedos de las noches veladores [263].

y nos encontraríamos con la más copiosa condensación de materia, en cinco versos, en una ordenación afilada y veloz, como una flecha que va desde las alimañas del viento y del bosque a toda la amplitud del pensativo campo, y que luego asciende silbando a lo delgado, a lo sutil e inaprensible, para clavarse trémula en la pavorosa alerta de la noche profunda.

¡Velocidad, condensación, desnudez expresiva, prodigio de la palabra en su nitidez original! Mas estas son aún fórmulas vagas, para una vaga intuición. Volvamos al proceso analítico.

Tenemos que penetrar pausadamente en la contextura nocional y gramatical de la poesía de San Juan de la Cruz. Y eso que llamábamos condensación, velocidad, fuerza expresiva de la palabra desnuda, se traduce ahora en sintetismo de las nociones, función predominante del sustantivo. Función predominante del sustantivo a expensas del adjetivo, a expensas de la función verbal.

ESCASEZ DEL VERBO

Función predominante del sustantivo a expensas de la función verbal. Notemos en primer lugar cuán escasos son los versos en que se acumulan varios verbos. Cuando sobreviene uno

> decidle que adolezco, peno y muero[264].

se debe a que las tres acciones expresan tres matices distintos, y bien pautados conceptualmente, y los comentarios[265] insistirán en hacernos notar la diferencia. Por el contrario, abundan las estrofas en que no existe verbo principal. Así en las exclamativas:

> ¡Oh noche que guiaste,
> oh noche, amable más que el alborada:
> oh noche que juntaste
> Amado con Amada,
> Amada en el Amado transformada![266].

Aquí los verbos introducidos por relativo pueden inducirnos a error. En realidad, esas acciones verbales tienen solo una función adjetiva (lo mismo que *amable)*, y el esquema es el siguiente: "¡oh noche guiadora, amable, unidora, transformadora!" Pura exclamación, sin verbo.

Más frecuente es aún que en la oración a un solo verbo corresponda un complemento múltiple. Así en el ejemplo que citábamos hace poco:

> A las aves ligeras,
> leones, ciervos, gamos saltadores,
> montes, valles, riberas,
> aguas, aires, ardores,
> y miedos de las noches veladores,
>
> por las amenas liras
> y canto de serenas os conjuro...[267].

Es decir: "yo os conjuro, a las aves, a los leones, a los ciervos, etc.". A una sola acción verbal corresponde un complemento que se descompone en nada menos que once términos, ordenados en yuxtaposición y expresados por nombres. Otras veces el miembro múltiple, también con un solo verbo, es un complemento circunstancial. Tomemos las tres primeras estrofas de la *Noche*. En la primera el alma afirma que salió de su casa sin ser notada. Y siguen la estrofa segunda y la tercera:

> A escuras y segura,
> por la secreta escala, disfrazada,
> ¡oh dichosa ventura!,
> a escuras y en celada,
> estando ya mi casa sosegada;
>
> en la noche dichosa,
> en secreto que nadie me veía,
> ni yo miraba cosa,
> sin otra luz ni guía
> sino la que en el corazón ardía.

Ausencia de verbo principal: es que el verbo es el *salí* de la primera estrofa, y todos esos términos (salvo una breve interrupción exclamativa), todas esas expresiones "a escuras", "segura", "por la escala", "en celada", "estando la casa tranquila", "en secreto", etc., no son sino complementos circunstanciales de lugar, tiempo o modo, en los que se engarzan sustantivos o adverbios.

Otras veces, en fin, no existe verbo, porque la cópula sustantiva no ha sido expresada. Y surgen así esas maravillosas enumeraciones como las de las estrofas 13 y 14 del *Cántico*

> Mi Amado, las montañas,
> los valles, etc.,

que no cito aquí porque las vamos a estudiar en seguida desde otro punto de vista.

Esta ausencia de cópula, este subdividirse de los miembros no verbales de la oración, tienen como resultado una gran condensación de materia. En los ejemplos del segundo tipo un solo efluvio verbal vale para múltiples complementos. Como el matemático que quiere simplificar la fórmula, el poeta extrae el factor común de una larga serie de sumandos. El verso se adensa y se nutre a la par de nociones y de irradiaciones de luz poética, cada una lanzada a un objeto concreto: "yo os conjuro: a las aves, leones, gamos, montes, valles...". Vamos entreviendo.

Función predominante del sustantivo, a expensas de la función verbal, pero sobre todo a expensas del adjetivo. Ataquemos la cuestión ahora desde este último punto. El fruto va a ser aún mayor.

Sumando - nombre que se da a cada una de la cantidades que se suman.

Puesto que hemos visto el entronque de San Juan de la Cruz con Garcilaso, y que sin embargo sentimos el arte del primero como profundamente distinto del del segundo, puede servirnos Garcilaso como término de comparación. He tratado de parangonar lo más parejo. He tomado, por tanto, la canción *A la flor de Gnido,* en liras, y la he comparado con el poema del *Cántico,* que nos ofrece la ventaja de estar en liras también y tener una extensión suficiente para fines estadísticos. Las 22 liras de la *Flor,* comparadas con las 22 primeras del *Cántico,* nos dan este resultado: la proporción de adjetivos propiamente dichos en Garcilaso excede del doble, podríamos decir que es aproximadamente el triple que en esas liras de San Juan de la Cruz. Para comprobar el resultado, he analizado las 17 liras últimas del *Cántico:* la proporción de adjetivos es casi exactamente igual a la de las 22 primeras estrofas. Al hacer este análisis encontramos hechos casi increíbles: en las 10 primeras estrofas del *Cántico* no hay ni un solo adjetivo propiamente dicho. Nos vamos explicando su intensidad y su rapidez verbales. Otra diferencia importantísima es la que atañe a la colocación del adjetivo. El número de los antepuestos, o epítetos, en esas liras de Garcilaso, es casi el doble de los pospuestos o especificativos; el número de los antepuestos en las 22 primeras liras del *Cántico* es menos de la tercera parte de los pospuestos, y en la totalidad del *Cántico* se aproxima a la tercera parte. En resumen: Garcilaso usa frecuentísimamente el adjetivo; San Juan de la Cruz, muy poco. Garcilaso emplea mucho más el antepuesto que el pospuesto; San Juan de la Cruz, mucho más el pospuesto que el antepuesto[268].

Las consecuencias inmediatas de la escasez en el empleo del adjetivo por San Juan de la Cruz, se comprenden en seguida: se aumenta la velocidad, la cohesión y la concentración de todo el período poético; resulta resaltada la función del nombre. Resalta en dos sentidos: porque los sustantivos se adensan, se suceden con una mayor rapidez, y, aún más importante, porque el nombre aislado, desnudo, tiene que multiplicar sus valencias afectivas, recargándose al mismo tiempo de su original fuerza intuitiva, que en la poesía del Renacimiento había cómodamente abandonado a la función adjetival. De aquí esa sensación de frescura, de oreo que experimentamos al pasar a la poesía de San Juan de la Cruz. Tómense otra vez los versos "¿Adónde te escondiste, Amado, y me dejaste con gemido?". Pensemos en el valor de ese sollozo final: "con gemido". Y tratemos de añadirle cualquier adjetivo oportuno: el sentido, en lugar de avivarse, se embota.

VARIACION ESTILISTICA: SISTEMA ONDULATORIO

Hay otro rasgo que tiene un gran valor estilístico. El poeta emplea muy pocos adjetivos; pero con frecuencia, cuando los emplea suelen venir acumulados en una o dos estrofas. Transcurren las diez primeras del *Cántico* sin uno solo. ¡Diez estrofas sin un solo adjetivo![269]. Pero, he aquí que en la 11 empiezan a aparecer, y que en la 13 y la 14 se amontonarán, se sucederán casi verso a verso:

Mi amado, las montañas,
los valles solitarios nemorosos,
las ínsulas extrañas,
los ríos sonorosos,
el silbo de los aires amorosos.

La noche sosegada,
en par de los levantes de la aurora,
la música callada,
la soledad sonora,
la cena que recrea y enamora.

Y este cambio ha coincidido, en la contextura interna del poema, con el paso de la mortificación y meditación (vías purgativa e iluminativa) a la vía unitiva. De un modo isócrono, el movimiento estilístico ha cambiado también. La apresurada velocidad de la búsqueda ha desaparecido. El poeta, en la purgación del sentido y en la espiritual, iba veloz, como el alma enamorada. En nada, en ningún encanto (y en ningún espanto) se detenía:

Buscando mis amores,
iré por esos montes y riberas,
ni cogeré las flores,
ni temeré las fieras...[270].

Pero ahora ha encontrado al Amado. Y su voz se remansa y se explaya en anchura de gozo, y las cosas, las flores bellas del mundo, ya tienen un sabor y un perfume. Ya no es necesaria la premura. Los adjetivos entonces expanden la frase y jugosamente y jubilosamente la hinchan. Al cambio de línea interna del poema ha acompañado un cambio de la andadura estilística. Pero a este cambio del tiempo estilístico acompaña aún otro efecto. Y es que el adjetivo, monótonamente usado por la poesía renacentista, se redime así, se salva otra vez. Tras del ardor requemado de las primeras estrofas, ¡cómo volvemos a gustar el efecto mágico del adjetivo, que prolonga y enriquece la dulce estela del nombre: "los valles solitarios, nemorosos", "las ínsulas extrañas", "los ríos sonorosos", "el silbo de los aires amorosos", "la noche sosegada", "la música callada", "la soledad sonora"!

ESCASEZ DEL EPITETO

A este resultado contribuyen, de una parte, esa técnica alternante de omisión y acumulación de adjetivos, que acabamos de ver; pero de otra, la casi inexistencia del adjetivo antepuesto; es decir, de lo que la Retórica llama epíteto. En Garcilaso, repito, ocurre todo lo contrario. Siento tener que aducir a Garcilaso para presentarlo a tan desfavorable luz. En otras ocasiones [271] he dado pruebas de mi amor y mi culto al poeta de Toledo. *La flor de Gnido* no es, ciertamente, a pesar de una indudable belleza formal, su mejor momento. Hablaba por un amigo, y su voz no tiene aquí esa suave y melancólica veladura que tiembla cuando habla de doña Isabel Freire. Pero yo tenía que comparar liras con liras. Tomemos unas estrofas y pongámoslas junto a las del *Cántico,* que acabamos de citar:

...y en *ásperas* montañas,
con el *suave* canto enterneciese
las *fieras* alimañas,
los árboles moviese
y al son confusamente los trajese,

no pienses que cantado
sería de mí, *hermosa* flor de Gnido,
el *fiero* Marte *airado,*
a muerte convertido,
de polvo y sangre y de sudor teñido... [272].

"Asperas montañas", "suave canto", "fieras alimañas", "hermosa flor", "fiero Marte airado". Eso aquí, en Garcilaso. Y allí, en San Juan de la Cruz: "los valles solitarios nemorosos", "las ínsulas extrañas", "los ríos sonorosos", "la noche sosegada", "la soledad sonora..." ¡Qué diferencia! Observemos que todos los adjetivos del ejemplo de Garcilaso son antepuestos, epítetos, y todos los del de San Juan son pospuestos. El epíteto implica un juicio analítico; el adjetivo pospuesto, un juicio sintético. De manera que a la asociación adjetivo-sustantivo la podemos llamar sintagma analítico, y a la sustantivo-adjetivo, sintagma sintético. En el sintagma analítico se extrae del sustantivo una cualidad inherente a él, para realzarla por medio del adjetivo; en el sintético se atribuye al sustantivo una cualidad no inherente a él. El adjetivo analítico nace de un deseo de realzar o manifestar la inherencia del ser, que interesa afectiva o estéticamente: "las mansas ovejuelas", "las solícitas abejas". Tal realce es de tipo afectivo, lo mismo en el origen de la tradición literaria ("las mansas ovejuelas") que en el lenguaje ordinario ("¡pobre hombre!"). Mas este resalte primario se pierde en seguida: como es la inherencia principal (desde el punto de vista estético-afectivo) la resaltada, el epíteto tiende a repetirse, y a perder, por tanto, el especial valor matizador que primariamente tenía, convirtiéndose en fórmula estereotipada. Tales fórmulas llegan a ser solo índice de una tradición de escuela; señalan en especial la tradición renacentista, reciben un nuevo impulso en el neoclasicismo del siglo XVIII. El romanticismo procurará romper—hasta cierto punto—esta cadena.

Y esto es lo que nos explica el cansancio, el

hastío que nos producen en *La flor de Gnido* esas expresiones "ásperas montañas", "suave canto", "fiero Marte", etc., y la virginidad, la novedad y jugo que presta al estilo poético de San Juan su abandono del adjetivo antepuesto. Añádase, ahora, la fresca, mañanera intuición, las gozosas entregas, la hiriente originalidad con que el poeta ha sabido escoger sus adjetivos, y así el "aspirar sabroso" del aire del espíritu, la "mano serena" de los vientos, los "valles solitarios nemorosos", "el cierzo muerto", "las ínsulas extrañas", "el ciervo vulnerado", tendrán en su poesía una magia que ha de poblar de eterna, siempre recién creada novedad, el mundo de nuestra imaginación.

Mas el lenguaje no es sino (con la terminología de Saussure) un sistema de signos expresivos. La alteración de cualquier orden de estos signos trae como consecuencia la profunda modificación de todos los valores del sistema. Si llamamos habla poética *A* a la de Garcilaso, y *B* a la de San Juan de la Cruz, el paso del sistema *A* al *B* está definido por una total subversión del orden de los signos adjetivos: por la enorme disminución de esta serie de valores, por la casi desaparición del adjetivo analítico, por la intensa revalorización de los signos adjetivales que sobreviven, y la consiguiente revitalización con valor poético activo de su fuerza semántica, por sus movimientos ondulares de enrarecimiento o agrupación. Mas a cada una de estas modificaciones corresponde una alteración refleja de los otros signos de orden distinto en el sistema gramatical. Ya lo decía al principio: lo que al pasar del estado *A* al *B* es función en cierto sentido decreciente (y en otro revalorizadora) de la serie de los valores adjetivos y los verbales, lo es creciente de la serie de los sustantivos. De otra manera: el análisis que hemos hecho de la a la par dulce y tensa habla de San Juan de la Cruz, lo podríamos haber hecho casi lo mismo, y con resultados análogos desde el punto de vista del nombre (como hasta cierto punto lo hemos hecho desde el del verbo). He elegido, en especial, el adjetivo, porque he creído que podía llegar con más rapidez a resultados más ricos y más claros.

Y ahora sí que creo que hemos obtenido algún hallazgo; hemos llegado tal vez a determinar cuál es la principal diferencia que separa la magia suave, sedosa, prolongada, del estilo de Garcilaso, de la llama, rauda, veloz, dulcemente heridora, a ratos remansada en perfume y pausada música, del estilo de San Juan de la Cruz.

VI

LOS POEMAS:

TEMATICA Y ESTRUCTURA

TENEMOS que volver al punto de partida. En el principio fue el poema. No toda la obra de San Juan de la Cruz, sino precisamente la lírica es la expresión, y la única posible en lengua humana, de su experiencia mística. La ciencia no lo entiende, y los comentarios, a pesar de su a veces rigurosa ordenación ideológica, son un previsto, aunque admirable, fracaso. La experiencia no lo sabe sentir. Pero es la poesía lírica, con su poderosa fuerza elevadora, lo único que en lengua de hombres puede dar un trasunto, aunque pálido, aunque imperfecto, de lo divinamente vivido. Ha habido otras veces poesía mística, y también en las exposiciones doctrinales de la mística universal, lo mismo que en la del santo, la parte más alta, la que toca a los misterios más recónditos, tiene que abandonar como instrumento inútil y lastre enfadoso el lenguaje científico y echar mano del poético. Pero lo que no ha habido nunca ha sido un místico que uniera a la más alta contemplación la más alta intuición artística, como se unen en San Juan de la Cruz. Por eso estos poemas que del lado literario son ya un prodigio, representan al mismo tiempo —recuérdense las palabras de Menéndez Pelayo— el soplo, la inspiración del Espíritu de Dios sobre la lengua de los hombres. Y, después del análisis, al acercarme a ellos en su conjunto, en su hermosura y en su grandeza, vuelvo a sentir espanto.

El primer problema ante la obra lírica en conjunto sería el de su ordenación. Ha sido planteado hace tiempo, respecto a los poemas mayores, los que llevan anejo comentario. Me alejaré de la zona que siempre he querido evitar. Tomando el punto de vista de la literatura, atento solo a la obra poética y prescindiendo de lo doctrinal, me parece claro que de una parte se separa el *Cántico Espiritual,* y de otra, el poema de la *Noche* y el de la *Llama de amor viva;* pero que el de la *Noche* tiene todavía una concomitancia, un nexo con el del *Cántico*. Este orden que vamos a ver comprobado por condiciones internas, es también probablemente el de redacción. Las diferencias entre estos tres poemas, y el establecerse el de la *Noche* como vínculo entre los otros dos, sería, pues, el resultado de una evolución vital, integrada por paralelas evoluciones de la experiencia, la doctrina, la sedimentación de influjos y la técnica literaria [273]. Nos quedan, además, de un lado, el poema endecasilábico del *Pastorcico,* y de otro, las poesías en metro menor.

1

POEMAS MAYORES

EL PASTORCICO

Antes de hablar de los poemas mayores todavía unas palabras acerca de *El Pastorcico.* Ya quedó analizado [274] este tierno poema, y allí se estudió su tema y su desarrollo. Todo él es una alegoría; alegoría hemos de encontrar también en el *Cántico.* El claro y tenue contenido del *Pastorcico* enamorado nos va a servir aquí de ejemplo para explicar el procedimiento alegórico. No conocemos la fecha de esta composición que, si hubiéramos de juzgar por su técnica y por su proximidad sentimental a la égloga pastoril (Garcilaso más Sebastián de Córdoba) habría que considerar temprana, y muchas son las diferencias entre su manera y la de los poemas centrales en la obra del santo. Mas hay una coincidencia fundamental: la ausencia de imágenes, por lo menos de las imágenes normales en poesía renacentista.

La imagen normal en la poesía renacentista, como en la de todas las épocas, es un procedimiento de estilización y condensación estética de la Naturaleza: el cabello, oro; los bellos dientes, perlas; el cuello, alabastro, etc. [275]. De esta imaginería trivial, lastre de la poesía del Renacimiento, no hay ni rastros en San Juan de la Cruz. (Claro que no siempre las imágenes de la poesía renacentista son triviales como las de mis ejemplos.) Lo interesante es que en esos dos términos (cabello, oro) que se relacionan, el término *A'* (el imaginativo) supone una depuración estética del término *A* (término real). Dentro de estas condiciones, cuando una cadena *A, B, C, D*... de términos reales es suplantada por una cadena *A', B', C', D'*... de términos imaginarios, al resultado le llamamos alegoría. Dos planos paralelos, pues, que, término a término, se corresponden. Y si volvemos ahora a la poesía del pastorcico, nos encontraremos con que ese paralelismo de mundos superpuestos (real e irreal) se produce también, y también el plano pensado como real (misterio de la Redención) ha sido suplantado por uno imaginario (historia del enamorado pastorcico). Pero, si analizamos término a término, nos encontraremos con que la relación de cada par es distinta de la existente en la imagen normal del Renacimiento. Allí el término irreal (oro) estéticamente supera al de la naturaleza (cabello). Diríamos que la relación al pasar de la cosa a su imagen es de menor a mayor. Todo lo contrario en el tipo alegórico del poema que estudiamos, pues los términos de lo pensado como real (Dios, el alma, el árbol de la Cruz), infinitamente exceden a los irreales (pastor, pastora, árbol). A este tipo de alegoría llamaré alegoría simbólica. Esta clase de alegorismo simbólico se puede dar en la poesía profana; pero es característica de la religiosa, porque en este caso la razón de esquivar el término real no es otra que la que tantas veces nos hemos encontrado: la inefabilidad del misterio.

La base de la poesía de San Juan de la Cruz, de la mayor parte de su poesía, es la alegoría simbólica. Y esta es otra de las razones de nuestra extrañeza, de nuestro sentido de estar en un mundo diferente, cuando pasamos, por ejemplo, de la poesía de Garcilaso a la de San Juan.

De la poesía más pastoril, la del *Pastorcico,* llegamos a otra en la que lo pastoril se combina con un influjo predominante, que hemos estudiado ya—y que podía también entenderse a lo pastoril—[276], el del *Cantar de los Cantares.* El procedimiento de alegoría simbólica es patente; lo único que a este respecto habría que señalar es que aquí alguna vez los dos planos se confunden, quiero decir que la continuidad del símbolo casi se interrumpe, porque los elementos de la realidad, esquivada momentáneamente, afloran. Así la estrofa:

> Debajo del manzano,
> allí conmigo fuiste desposada,
> allí te di la mano,
> y fuiste reparada,
> donde tu madre fuera violada,

resultará sibilina a quien no esté siguiendo sino el sentido humano. Pero será clara a quien directamente vea en esa corrupción de la madre de la Esposa, la corrupción de la madre del género humano, el pecado original. Otra característica del *Cántico*—ya hemos aludido a ella—[277] es la diseminación, dentro de su continuidad simbólica, de elementos hieráticos, de procedencia bíblica, a veces fijados por una cadena interpretativa: el ciervo, las azucenas, las granadas, la descripción del tálamo [278], etc.

Como la condensación de materia, de cosas, dentro de este poema relativamente largo, es muy grande, ocurre que el comentario de su autor es el más pormenorizado y especificativo de todos los suyos. Tomemos por ejemplo las estrofas

A las aves ligeras,
leones, gamos, ciervos saltadores,
montes, valles, riberas,
aguas, aires, ardores
y miedos de las noches veladores:

por las amenas liras
y canto de serenas os conjuro
que cesen vuestras iras
y no toquéis al muro
porque la Esposa duerma más seguro[279].

El primer sentido es, pues, que el Esposo pide a los seres de la Naturaleza y a los espantos nocturnos que no perturben el sueño de la Esposa. Extraigamos ahora el sentido, según los comentarios. "Por los leones se entiende las acrimonias e ímpetus de la potencia irascible... Por los ciervos y los gamos saltadores entiende la otra potencia del ánima, que es concupiscible... Montes, valles, riberas: por estos tres nombres se denotan los actos viciosos y desordenados de las tres potencias del alma..."; etc.[280]. Produce extrañeza cómo el puro gozo estético de las bellísimas estrofas, no diré que se derrumba, pero sí que rudamente queda sacudido con la interpretación. Y aquí surge un problema que, por principio, apenas si he de tocar: el de las relaciones mutuas entre comentarios y poemas. No puedo hacer más que señalar su existencia y su gravedad. Porque si volvemos a mirar la primera de estas estrofas, encontramos en ella una curiosa ordenación (ya la hemos señalado otra vez al paso) que va elevándose desde las alimañas hasta lo aéreo y lo espiritual. Esta ordenación, ¿estaba ya exigida por un sustrato doctrinal en el momento de la creación lírica? Generalizando el problema, los comentarios, ¿son una interpretación *a pos-*

teriori, para ajustar el ímpetu lírico a rigurosas líneas doctrinales, o es que su sentido concreto estaba presente al poeta en el momento de la creación? Tal vez sea imposible dar una contestación general. Quizá el proceso creativo haya sido distinto en las diferentes poesías [281]. Por lo que respecta al *Cántico,* es muy significativo ese enfriamiento que la explicación en prosa algunas veces nos produce. No podemos dudar del ya inicial sentido místico de este poema [282]. Pero yo creo que su alegoría nació seguramente, ordenada, sí, según los grados de la escala mística, mas solo con la vaguedad alusiva del ámbito lírico en el momento del impulso creador. La interpretación concreta y pormenorizada fue, sin duda, un razonador y lento trabajo *a posteriori.*

En la problemática del *Cántico* tampoco podemos esquivar completamente la cuestión de los textos. Dejada aparte la duda acerca de la estrofa que en uno de los estados textuales sigue a la 10, y que muy bien puede ser del poeta, mayor interés ofrece la ordenación de las estrofas. Tenemos dos, la del códice de Sanlúcar y la del manuscrito de Jaén. Es bien conocido que la principal diferencia contextural que separa el *Cantar de los Cantares* y el *Cántico,* consiste en que la acción entre la Esposa y el Esposo se ha sometido en el *Cántico* a los grados de una escala o progresión mística [283]. La salida de la Esposa y su primera búsqueda del Amado corresponde a la vía purgativa; la respuesta de las criaturas y los afectos y ansias antes del encuentro, a la iluminativa. Sigue luego el encuentro con dos grados: el de desposorios y el de matrimonio espiritual o perfecta unión. Entre las dos ordenaciones, la de Sanlúcar y la de Jaén, por la dislocación de algunas estrofas, hay, como ha visto claramente Baruzi [284], la siguiente diferencia: que en la primera ordenación, la de Sanlúcar, el alma, con un impulso irresistible, se adelanta hacia la unión, estado en que le sobrevienen todavía recelos y temores; en la segunda, el proceso purificativo es más perfecto, y la posesión ya no perturbada. La acción mística en el primer caso está, pues, de vez en cuando alterada por súbitas regresiones; en el segundo, más sistemáticamente conducida. La primera redacción parece convenir al momento del ardor creativo; la segunda, si es del santo, a la pausa reflexiva de la organización doctrinal. Triunfa en nosotros el estado impulsivo sobre el de reflexión y cautela. El poeta en su vuelo inicial y libre había seguido un orden más íntimo y necesario, si menos evidente. Yo, decididamente, prefiero la primera redacción.

Sigamos, pues, la redacción primera. A esta estructura, a esta progresión, isócronamente corresponde el amplio desarrollo rítmico de todo el poema, y así, sobre el ambiente mágico, de sueño denso y a la par realidad concreta, del *Cantar de los Cantares*, el poeta ha sabido hacer una obra personal, crear un nuevo ser de individualidad indestructible, perfecta criatura que no debió ser tocada. ¡Prodigio de la creación poética, sombra del hálito de la divinidad! ¿Qué ángeles de música y sueño impulsaban la mano que escribía? El alma, con gemido, desolada y en abandono, sale en busca del Amado. Ya la hemos visto, en velocidad de búsqueda [285], indiferente a las flores y a los espantos. Y pregunta a las criaturas, y las criaturas no le dan sino pálidos reflejos del amado ausente:

¡Oh bosques y espesuras,
plantadas por la mano del Amado,
oh prado de verduras,
de flores esmaltado,
decid si por vosotros ha pasado!

Mil gracias derramando,
pasó por estos sotos con presura,
y yéndolos mirando
con sola su figura,
vestidos los dejó de hermosura [286].

Pero el alma no se satisface con eso, y quiere más: quiere que el Amado le descubra su presencia [287]. Y, a la manera eglógica, pregunta a la fuente (a la fuente de la fe, nos dirán los comentarios):

¡Oh cristalina fuente,
si en esos tus semblantes plateados
formases de repente
los ojos deseados,
que tengo en mis entrañas dibujados! [288].

Y en la fuente cristalina se reflejan los ojos de belleza irresistible. Ha terminado aquí el proceso purgativo e iluminativo, y comienza el unitivo. A la velocidad del alma en la búsqueda ha correspondido, como veíamos antes [289], un estilo condensado, apretado, ardiente, veloz. Vértigo del ansia. Y ahora el hallazgo: el alma aún no puede resistir la luz de aquellos ojos, y pide al amado que los aparte. Pero solo aquella vislumbre la ha dejado transida de gozo, y prorrumpe en un canto de júbilo. La expresión, que corría como el río entre montañas, que solo sabe tender ansiosamente hacia su final, se abre ahora en una dilatada vega, llena de hermosuras, donde las aguas se remansan en un sosiego y un gusto de gozar los cielos y reflejar las flores.

Mi Amado, las montañas,
los valles solitarios nemorosos,
las ínsulas extrañas,
los ríos sonorosos,
el silbo de los aires amorosos.

La noche sosegada,
en par de los levantes de la aurora,
la música callada,
la soledad sonora,
la cena que recrea y enamora [290].

El verso va ondulándose juvenilmente entre los gozos del enamoramiento, deteniéndose y enredándose con las puerilidades y los juegos del noviazgo. Hasta la bella invocación de la Esposa a los vientos:

Detente, cierzo muerto;
ven, austro, que recuerdas los amores,
aspira por mi huerto
y corran sus olores,
y pacerá el Amado entre las flores [291].

Una pausa, que el sentido señala exactamente, y la voz grave y serena del Esposo nos dirá que la unión ya se ha consumado:

Entrádose ha la Esposa
en el ameno huerto deseado,
y a su sabor reposa,
el cuello reclinado
sobre los dulces brazos del Amado [292].

Han terminado, pues, los desposorios, y hemos entrado en la perfecta unión, en el matrimonio espiritual. Notemos—no recuerdo haber leído esta observación—que en la redacción primera, que es la que seguimos, todo el estado de desposorios es un prolongado canto de la Esposa, lleno de juegos, de gozos y de graciosos remilgos. El estado de unión perfecta—en cambio—es un cántico alterno de ambos amantes. Esta traza clara y significativa (que no creo deje de tener profundo sentido místico) está malamente destruida en la segunda redacción [293].

Mas los Esposos temen que haya importunamientos que puedan interrumpir su dicha, y el Esposo conjura velozmente a los seres de la naturaleza y a los espantos de la alta noche:

> A las aves ligeras,
> leones, ciervos, gamos saltadores,
> montes, valles, riberas,
> aguas, aires, ardores
> y miedos de las noches veladores:
>
> por las amenas liras
> y canto de serenas os conjuro,
> que cesen vuestras iras,
> y no toquéis al muro,
> porque la Esposa duerma más seguro [294].

Y la Esposa, embriagada en música, en colores y densos perfumes, pide a las doncellas de Judea que se alejen:

> ¡Oh ninfas de Judea,
> en tanto que en las flores y rosales
> el ámbar perfumea,
> morá en los arrabales
> y no queráis tocar nuestros umbrales! [295].

Todo en paz. Los Esposos han llegado al grado más alto de la unión. Pero la Esposa, el alma, quiere más: quisiera penetrar más profundamente en la naturaleza de Dios, fuera de los límites que la vida corporal tolera [296]. Y lo pide insaciablemente:

> Gocémonos, Amado,
> y vámonos a ver en tu hermosura
> al monte o al collado,

do mana el agua pura;
entremos más adentro en la espesura.

Y luego a las subidas
cavernas de la piedra nos iremos,
que están bien escondidas,
y allí nos entraremos
y el mosto de granadas gustaremos [297].

Allí le mostraría el Esposo las últimas bellezas, que (fuera del sentido concreto de los comentarios) son las delicias delgadas del aire y de la música, la hermosura de la naturaleza y de la noche [298]. Allí me mostrarías, dice la Esposa,

el aspirar del aire,
el canto de la dulce Filomena,
el soto y su donaire,
en la noche serena,
con llama que consume y no da pena [299].

La estrofa final nos da la razón por la que la Esposa puede ya aspirar a las máximas inteligencias: porque han cesado todos los enemigos y movimientos exteriores. La estrofa, de un hieratismo pausado, con la introducción del demonio por medio del enigmático Aminadab [300], produce una maravillosa sensación final y anticlimática, de cesación, de relajación, de descenso [301]:

Que nadie lo miraba,
Aminadab tampoco parecía,
y el cerco sosegaba,
y la caballería
a vista de las aguas descendía [302].

La estructura total del poema, el más largo de San Juan de la Cruz, es, desde el punto de vista literario, perfecta: velocidad condensada de la vía purgativa y la iluminativa, amplio canto de la Esposa y juegos y delicias del noviazgo en los desposorios, cántico alternado de los Esposos en el matrimonio espiritual, perfecta unión e ímpetu del alma que pide las supremas delicias, efecto descendente de la última estrofa. Otras veces hemos dudado: ¿Poeta natural? ¿Despreocupado técnico? Aquí ya no es posible dudar: quien así escribía, quien podía desarrollar un largo tema con este ímpetu y este refreno, con seguridad clásica y con alta llamarada de espíritu, era un perfecto artífice literario.

No podemos abandonar el mágico paisaje aromado del *Cántico Espiritual* sin volver los ojos a uno de sus aspectos más interesantes. En estas estrofas ha condensado el poeta su intenso sentimiento de la belleza natural. Por la vía purgativa e iluminativa, a través de la noche del sentido y de la del espíritu, se llega al aniquilamiento, a la cesación de los influjos exteriores. Mas en el amor unitivo, las bellezas del mundo vuelven a cobrar un sentido, y mucho más profundo y mucho más amplio. El niño de Fontiveros, el contemplativo de tantos bellos lugares, Segovia, el Calvario, los Mártires de Granada, el desterrado de la Peñuela, y, por contraste, el triste preso de Toledo, había sentido con una intensidad de enamorado absorto las bellezas de la Naturaleza, reflejo de las de Dios. Son muchos los testimonios que nos le muestran, en sus distintas residencias, haciendo oración, encumbrado por los montes, entre peñas, bajo los árboles o bajo la mimbrereta, a orillas de un río o de una fuente, o nos le presentan contemplando la profundidad de la noche desde la ventana de su cuarto. Es tal vez la declaración más concorde de todos los testimonios sobre su vida. Y ahora, al encontrarnos en su *Cántico Espiritual,* los valles solitarios nemorosos, los ríos sonorosos, el silbo de los aires, la noche sosegada, la soledad sonora, el ejido y el otero, las frescas mañanas escogidas, el huerto donde el viento primaveral despierta los amores, las aves ligeras, los ciervos, los saltadores gamos, las riberas, los valles, los terrores de la alta noche, el collado do mana el agua pura, las subidas cavernas de la piedra, el soto y su donaire, al encontrarnos esta variedad de formas naturales, ya trasmutadas en belleza de arte, nos parece no solo que tenemos en ellas un fresco y estimulante gozo de nuestro sentido estético, sino algo del diáfano vivir del poeta, que hay algo de aquellas horas de meditación en medio de los campos que acompaña nuestra vida y—alada presencia—santifica nuestro goce del agua, del viento, de la luz, de la montaña, del río, de la vega, de la belleza de la rosa, de la belleza de la mujer.

LA «NOCHE» Y LA «LLAMA»

Hemos visto en el *Cántico Espiritual* a San Juan de la Cruz recreando genialmente, en un poema de forma estricta, el denso ambiente erótico del *Cantar de los Cantares,* dentro siempre del procedimiento de alegoría simbólica que hemos explicado más arriba. Para entrar en el estudio de los poemas de la *Noche* y de la *Llama* vamos a apoyarnos en unas iluminadoras páginas de Baruzi [303]. He empleado hasta aquí el término alegoría simbólica para establecer una distinción entre esta y la alegoría basada en imágenes de tipo ascendente *(cabellos, oro).* Pero ahora voy a abandonar mi terminología para evitar confusiones. Baruzi entiende por símbolo una intuición poética mucho más profunda, de carácter mucho más general. Para Baruzi, la más alta y original creación de San Juan de la Cruz es la del símbolo de la *Noche,* y su prolongación en el de la *Llama*. Parte de una diferencia fundamental entre símbolo y alegoría. El símbolo, tomado en este sentido, se origina por una intuición profunda, que excluye la correspondencia exacta y paralela entre un mundo de realidades o conceptos y un mundo de imágenes, mientras que en los dos tipos de alegoría que antes estudiábamos se da siempre una correspondencia término a término entre el plano real o conceptual y el imaginativo. El símbolo así considerado es una profunda sima de intuición estelar, vértice el más alto de la creación artística y a la par su venero más soterraño. A su luz la alegoría parece un juego fácil y pueril. La alegoría traduce término a término, y es traducible. Pero el símbolo no traduce nada y no admite traducción. Nacido de una intuición profunda y oscura, emite a su vez imágenes; pero estas no tienen correspondencia a términos de realidad, sino que están ligadas solo al símbolo mismo "por una especie de lógica interna"; es decir, que tienen en él mismo su necesidad y su justificación. El puro símbolo es raro en el campo de la poesía y en el de la mística. Y sigue mostrando Baruzi cómo San Juan de la Cruz ha creado este símbolo invasor de la noche, en la que la luz de la Fe es una oscuridad absoluta para nuestros ojos humanos, y cómo este símbolo de la noche lleva necesariamente en su desarrollo el de la llama, el de la absoluta brasa y la absoluta iluminación, de tal modo, que no son dos símbolos correspondientes, sino uno solo y total. Así el arte poético de San Juan, que hace revivir bellamente las alegorías que una tradición ha visto en el *Cantar de los Cantares,* recreándolas y resellándolas con la huella del genio, sumiéndonos con ellas en un embriagante mundo de sensuales imágenes divinas, alcanza la cima de su creación poética y de su creación doctrinal, al intuir en los poemas de la *Noche* y de la *Llama* (y en sus comentarios) con los signos opuestos de la absoluta oscuridad y de la absoluta luz y el absoluto incendio, el más alto símbolo de la total negación y la total entrega y penetración amorosa [304].

He indicado ya [305] cómo la *Llama,* aunque los comentarios no dejen de descubrir en ella pormenorizadas alegorías, cae más netamente del lado de la creación simbólica [306]; y cómo el poema de la *Noche* es, en las dos partes que en él considerábamos [307], una combinación entre la intuición simbólica y el ambiente alegórico del *Cantar de los Cantares.* Su dificilísima sencillez me inclina a hablar antes de la *Llama.*

Es la *Llama de amor viva* un breve poema de solo cuatro estrofas. Representa los efectos en el alma de la más alta unión. El alma, en tal estado, no sabe sino prorrumpir. No nos extraña que las cuatro estrofas sean admirativas y vayan encabezadas por *¡Oh!* y por *¡Cuán!* Quien lea los comentarios correspondientes al poema, verá que también ellos, y casi sin interrupción, están escritos en exclamaciones. Y que a este estilo exclamativo corresponde en lo interno una mayor actividad poética, un constante uso de imágenes. Toda la diferencia entre la *Noche* y la *Llama* se refleja aquí. Son los dos [308] comentarios de la *Noche* la construcción ideológica más alta, trabada y—a pesar de su inacabamiento—perfecta, de toda la obra del Santo; pero no pasan de los estados que anteceden a la unión. El pensamiento del escritor, aunque ya atraviesa zonas estelares, se mueve con precisión rigurosa por los caminos—siempre reiterados, siempre multifurcados—de su lógica escolástica. Por desgracia, estos caminos se interrumpen, en la *Noche,* antes de llegar a lo inefable; y en el *Cántico Espiritual,* en donde se comentan los estados de unión propiamente dicha, tras tantas explicaciones, distinciones y alegorías concretizadas, ¡qué pálidos los rayitos, cuán tibios son los efluvios que de la esencia misma del vínculo nos han llegado! Léanse las cinco últimas estrofas, que versan sobre la unión más alta. Váyase luego a los comentarios correspondientes [309]. Bellos son. Mas siempre el poema está más cerca de la experiencia indecible. En este sentido, los admirables comentarios son una obra fracasada; pero en el más gigantesco, generoso, genial empeño. En la prosa de la *Llama* quiso, sin duda, hacer un esfuerzo último. No: la ciencia y su lenguaje no servían. Y surge el estilo afectivo, figurado; poético, en fin, aunque en prosa.

Para mí es indudable esta lucha, este torcedor del escritor doctrinal, y su conciencia de él. Y me lo demuestra este pasaje, al principio de los comentarios de la *Llama,* que tiene, además, el interés de plantear claramente un problema de estilo: "Para encarecer el alma el sentimiento y aprecio con que habla en estas cuatro canciones" —entiéndase *estrofas*—"pone en todas ellas estos términos *oh* y *cuán,* que significan encarecimiento afectuoso; los cuales cada vez que se dicen dan a entender del interior más de lo que se dice por la lengua. Y sirve el *oh* para mucho desear y para mucho rogar persuadiendo, y para entrambos efectos usa el alma de él en esta canción; porque en ella encarece e intima el gran deseo, persuadiendo al amor que la desate”[310]. Y antes, en el prólogo, como si no quisiera dejar duda de sus titubeos, había dicho: “Alguna repugnancia he tenido... en declarar estas cuatro canciones que vuestra merced me ha pedido, por ser de cosas tan interiores y espirituales, para las cuales comúnmente falta lenguaje, porque lo espiritual excede al sentido, y con dificultad se dice algo de sustancia...”[311]. Y al final del comentario, cuando tendría que hablar del más alto misterio, de la aspiración del Espíritu Santo, se declara vencido y abandona la pluma[312].

Este drama interno, cuya acción se desarrolla entre la experiencia, el rapto lírico y el comentario, es frecuentemente desconocido por los expositores de la doctrina de San Juan de la Cruz. Es más cómodo el empeñarse en guiar falsamente al lector por un paraíso de facilidades, ya bobo, de tan claro. Para mí, admirables son los comentarios, pero más bella aún la lucha desigual en que enviscadamente se afanan. Ni ciencia ni experiencia sirven. El santo lo sabía. Por eso en los comentarios de la *Llama* echó mano de la jaculación, del balbuceo recordador de la extraña ventura. Pero nunca más cercano a la “confusa y oscura noticia”, nunca más claro el divino balbucir, que en el poema. ¡Alta gloria haberse acercado oscuramente hasta el misterio, como nunca con voz de hombre, en el poema; haber intentado escudriñar claridades, como nadie, como nunca, en el comentario!

La gloria de la poesía—repito—consiste en ser la única articulación de la lengua humana

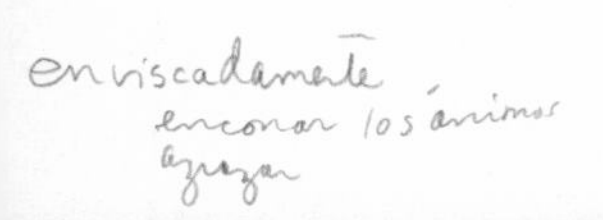

que puede aproximarse algo a los misterios de la Divinidad. Las verdaderas cimas místicas de San Juan de la Cruz no las tenemos en sus comentarios, sino en sus poemas.

Entre los poemas de San Juan de la Cruz, ninguno más próximo al puro rapto que el de la *Llama:* poesía exclamativa [313]. Recordemos cómo en la primera y la segunda estrofa se amontonan —¿quién lo esperaría aquí?—los influjos de Garcilaso. Y que las imágenes *llama* y *lámparas* [314] presiden a toda la composición y, pautadamente, sirven de principio a las dos estrofas impares:

Canciones del alma en la íntima comunicación de unión de amor de Dios

¡Oh llama de amor viva
que tiernamente hieres
de mi alma en el más profundo centro!,
pues ya no eres esquiva,
acaba ya si quieres,
rompe la tela de este dulce encuentro.

¡Oh cauterio suave!,
¡oh regalada llaga!,
¡oh mano blanda!, ¡oh toque delicado,
que a vida eterna sabe,
y toda deuda paga!,
matando, muerte en vida la has trocado.

¡Oh lámparas de fuego,
en cuyos resplandores
las profundas cavernas del sentido,
que estaba oscuro y ciego,
con extraños primores
calor y luz dan junto a su querido!

¡Cuán manso y amoroso
recuerdas en mi seno,
donde secretamente solo moras:
y en tu aspirar sabroso,
de bien y gloria lleno,
cuán delicadamente me enamoras!

Donde el Santo, al fin, tuvo que enmudecer, ¿cómo atrevernos sino a aludir o rozar? Mas la mano, la voz, serán rudas.

El alma "recuerda [315] como de sueño", y cercana aún al trance, prorrumpe en grito, en jaculación. El poema es siempre, en San Juan de la Cruz, lo más cercano a la experiencia: la fuerza extraordinaria de esta poesía reside en que en ella adivinamos la cercanía más inmediata que nunca. El alma está aún como traspasada de las llamas del amor vivido, y no desea sino que el incendio complete su obra. Pero el grito se adensa en concepto y llega a la más nítida y profunda expresión en esa absorta, terrible y jubilosa estrofa tercera. ¡Oh lámparas de fuego!: a su luz vemos cómo también el sentido se ciñe exactamente a las hondas concavidades de la palabra. Mas, ya, ondulaciones delicadas flotan al oreo de los vientos sabrosos. Y el final tendrá en lo hondo secreta mina, despierta permanencia de dulzura, y un traspasamiento, aires delgados, última espiración sutil del amor.

Rigurosa ordenación del poema. Pautada expresión de lo absoluto. Las dos primeras estrofas hablan de la llama dulcemente heridora. La tercera, de las iluminadoras lámparas. El fuego y la luz, lo abrasante y lo iluminativo. La mano vidente—intuitiva—ha recogido los dos conceptos al fin de la estrofa tercera:

calor y luz dan junto a su querido.

Mas esa misma estrofa ha introducido—nuevo tema—la imagen de las "cavernas": la más profunda, la más soterraña oscuridad, y este engarce sirve para dar una como simetría al final del poema. La unión va a ser expresada dos veces: primero, aquí, en ese llenarse de calor y luz los vacíos de la "noche" sensual, que ya reflejan, a su vez, los mismos rayos que los penetran; y, luego, en espiración divina, directo soplo y oreo del Espíritu creador al espíritu creado. Incendio, luz, honda oscuridad alumbrada, alta brisa divina. Llama y abrasamiento de amor, profunda iluminación intelectiva, oreo del hálito del Espíritu: he aquí, pues, la rigurosa ordenación del máximo transporte de la poesía de San Juan de la Cruz.

A un mundo poético absolutamente distinto nos conduce la *Noche*. De sus ocho estrofas, recordémoslo [316], las cinco primeras corresponden propiamente a las dos noches: la del sentido y la espiritual, camino terrible y a la par dichoso por el que tiene que pasar el alma que se dirige a la unión con Dios. En las cinco primeras es tal vez donde el pensamiento poético de San Juan de la Cruz ha estado más felizmente pautado por su pensamiento conceptual. Y aquí sí que es un gozo leer primero las estrofas y luego—en la parte comentada—la prosa, y regresar otra vez a la belleza de los versos:

> En una noche oscura,
> con ansias en amores inflamada,
> ¡oh dichosa ventura!
> salí sin ser notada,
> estando ya mi casa sosegada.
>
> A escuras y segura,
> por la secreta escala, disfrazada,
> ¡oh dichosa ventura!
> a escuras y en celada,
> estando ya mi casa sosegada.

En estas dos maravillosas estrofas se condensan las dos noches: en la primera, la del sentido; en la segunda, la espiritual. Lo imaginativo y lo conceptual avanzan con matemática isocronía. El poeta, poco amigo de repeticiones, ¡cómo ha sabido subrayar el paralelismo de las dos noches con la igualdad estructural de las dos estrofas!, conseguida mediante la repetición de los versos tercero y quinto ("¡oh dichosa ventura!", "estando ya mi casa sosegada"). En las estrofas siguientes, vemos avanzar al alma, con paso seguro, guiada solo por la luz oscurísima de la Fe, que arde en su corazón. Avanzar, con el tino de la flecha hacia el blanco, hacia el sitio donde la espera quien ella "bien se sabía". Y en el término de este caminar se vuelve el alma hacia la belleza del sendero, de la noche que la llevó, y, en una sola estrofa, prorrumpe en un canto que podríamos considerar simétrico al de la Esposa, en momento análogo en el *Cántico Espiritual*[317]:

> ¡Oh noche que guiaste,
> oh noche, amable más que el alborada,
> oh noche que juntaste
> Amado con Amada,
> Amada en el Amado transformada!

Allí el gozo se revertía sobre las criaturas, aquí sobre la densa tiniebla guiadora.

El alma ha llegado a la unión. A la unión se dedican las tres últimas estrofas. Pero en lugar de penetrar profundamente en sus efectos, como en la *Llama,* el poeta se refugia en el ambiente del *Cantar de los Cantares.* Tres expresiones, veíamos *(cedros, almena, entre las azucenas*[318]), han quedado como testigos del origen. Nótese el cambio ambiental y estilístico, subrayado por la interposición de la estrofa exclamativa, dirigida a la noche. Antes, un seguro avanzar del pensamiento conceptual y el poético. Ahora, en la segunda parte, un embriagarse, un paralizarse, un deshacerse. Son tal vez las estrofas más delgadas, las de una belleza formal más aspirante, más exquisita y aérea de toda la obra de San Juan de la Cruz:

> En mi pecho florido
> que entero para él solo se guardaba,
> allí quedó dormido,
> y yo le regalaba,
> y el ventalle de cedros aire daba.
>
> El aire de la almena,
> cuando yo sus cabellos esparcía,
> con su mano serena
> en mi cuello hería,
> y todos mis sentidos suspendía.
>
> Quedéme y olvidéme,
> el rostro recliné sobre el Amado,
> cesó todo y dejéme,
> dejando mi cuidado
> entre las azucenas olvidado.

Ventalle de los cedros, aire de la alta almena nocturna, un perfume de azucenas. Y cesar, olvidarse, dejarse—como en esa última prodigiosa estrofa en que todo es cesación y abandono— [319]. Entre los lirios, entre las azucenas, dejarse, cesar, aniquilarse en el amor.

Véase la cita

2

POEMAS MENORES

Las tres poesías que hemos llamado centrales, la del *Cántico,* la de la *Noche* y la de la *Llama,* han atraído siempre la atención por su magnífica belleza, por ser las que verdaderamente contienen el estado de unión, y además por estar integradas mediante los comentarios en el cuerpo de doctrina mística del escritor. En cambio, las otras composiciones menores, por no darse en ellas estas circunstancias, o por lo menos el conjunto de estas circunstancias, y en el caso especial de alguna, por no ser absoluta la seguridad de que proceda de la pluma del santo, suelen ser consideradas muy a la ligera.

Voy a detenerme solo en tres poesías de autenticidad indiscutible.

AUNQUE ES DE NOCHE

La incluyo aquí, a pesar de no estar desarrollada en octosílabos, porque, como he dicho más arriba, creo ser su origen un villancico de tipo popular [320]. Ya hemos hablado de lo extraño de su forma:

> Que bien sé yo la fonte
> que mana y corre,
> aunque es de noche.
>
> Aquella eterna fonte está ascondida,
> que bien sé yo dó tiene su manida,
> aunque es de noche.
>
> Su origen no lo sé, pues no lo tiene,
> mas sé que todo origen de ella viene,
> aunque es de noche.
>
> Sé que no puede ser cosa tan bella,
> y que cielos y tierra beben de ella,
> aunque es de noche...
>
> Aquesta eterna fonte está escondida
> en este vivo pan por darnos vida,
> aunque es de noche.
>
> Aquí se está llamando a las criaturas,
> y de esta agua se hartan aunque a escuras,
> porque es de noche...

Temo que las pocas estrofas que he podido citar parezcan a alguien rudas, tras los poemas que hace poco hemos estudiado. Para mí esta extraña composición tiene una gran hermosura y un encanto profundo. Tenemos el testimonio de la Madre Magdalena del Espíritu Santo, que nos dice haber sido compuestas estas coplas (así las llama) en la cárcel de Toledo [321]. Allí, en la oscuridad de su prisión, fue sin duda incubándose el símbolo grandioso de la noche de la Fe, que en esta poesía parece que se bosqueja [322]. Fueron creadas en la oscuridad de la cárcel. Y así podemos comprender aún mejor la inquietadora belleza y la fuerza interior de estos versos, la oscura noche del alma y de los sentidos en que nacieron, la busca obsesionante, incesante, que parece medida por ese estribillo que cae rítmicamente con una reiteración de pesadilla: aunque es de noche, aunque es de noche... Aguas frescas, cantadoras, manantes en la noche de nuestro insomnio. Así el agua sin origen, una y tripartita, de la Divinidad, fluye y fluye, aunque para la oscura cárcel carnal es de noche,

> y de esta agua se hartan, aunque a escuras,
> porque es de noche...,

aunque es de noche.

ENTREME DONDE NO SUPE

La tendencia a la conjunción de términos contrapuestos, que hemos estudiado antes, se manifiesta más claramente en varias de estas composiciones en metro menor. Se juntan aquí, de una parte, cierta predilección conceptual existente en las coplas de cancionero (y que va a ser decisiva para el cuajarse del conceptismo del siglo siguiente), y de otra parte, la adaptación de lo contradictorio, para expresión, aunque negativa, de los altos estados inefables del misticismo [323].

Entréme donde no supe
y quedéme no sabiendo,
toda ciencia trascendiendo.

Yo no supe dónde entraba,
pero cuando allí me vi,
sin saber dónde me entraba,
grandes cosas entendí;
no diré lo que sentí,
que me quedé no sabiendo,
toda ciencia trascendiendo.

De paz y de pïedad
era la ciencia perfecta,
en profunda soledad,
entendida vía recta;
era cosa tan secreta,
que me quedé balbuciendo,
toda ciencia trascendiendo...

Este saber no sabiendo
es de tan alto poder,
que los sabios arguyendo
jamás le pueden vencer;
que no llega su saber
a no entender entendiendo,
toda ciencia trascendiendo...

En verdad, esta poesía es básica en el pensamiento de San Juan de la Cruz y podríamos decir que tiene su comentario en aquella proposición repetida varias veces en los escritos doctrinales y también por nosotros: "ni basta ciencia humana para saberlo entender, ni experiencia para saberlo decir, porque solo el que por ello pasa lo sabrá sentir, mas no decir" [324]. Los dos términos, ciencia y experiencia, están presentes en esta canción.

La inutilidad de la ciencia es su motivo desde el principio al final, mas véase cómo expresa también la incapacidad de la experiencia para decir lo sentido: "no diré lo que sentí", no seré capaz de expresar lo que sentí, y más adelante: "era cosa tan secreta, que me quedé balbuciendo...". Este balbuceo—divino balbucear—es toda la obra del santo, en los dos planos del sentimiento y de la ciencia. Lo hemos visto ya antes: balbuceo más alto, más certero, más cercano a la meta de la expresión, el de su poesía; balbuceo más imperfecto—por ser el instrumento más imperfecto también—el de su exposición doctrinal.

Esa lucha con la expresión humana, grosero utensilio, que es toda la obra del santo, la hemos sorprendido, en búsqueda constante, en tanteos y direcciones distintas, que en su diversidad bien prueban el descontento interior. Y aquí, en fin, en estas coplas del "no entender entendiendo", tenemos otro intento cimero en lo humano, de expresión de lo inefable: expresión negativa, solo por contrastes, por alusiva vaguedad. Expresión de lo inexpresable, menos pura, menos embriagadora que en la *Noche,* menos sintética y traspasada de espasmos que la de la *Llama;* más ágilmente conceptual, en su ir a mostrar y esconder, sinuosamente pormenorizada por los laberintos de su tema único, balbuciente y azorada en el titubeo, garbosamente equívoca y deliciosamente equivocante, en la que el desarrollo poético es, a lo musical, variaciones y fuga. Obra maestra, en lo menor. En una palabra: más entrevista en su sutil, trémulo y negativo análisis humano, que en condensada expresión de síntesis divina.

Mas hay entre todas estas poesías menores una que particularmente nos mueve. Está basada[325] en la técnica de cancionero, y su tema no es más que la trasposición a lo divino de uno semipopular. El juego de sus imágenes forma una alegoría simbólica, como las que ya hemos estudiado. Creo que la fuerza de esta composición reside en la índole sustancial de su alegoría[326]. El alegorismo más frecuente para el proceso místico, el erótico, me deja en el fondo insatisfecho (a pesar de las bellezas del *Cantar de los Cantares,* del *Cántico espiritual* y de la *Llama).* Hay en el alegorismo amoroso[327] demasiada aparente cercanía, y, en verdad, demasiada disparidad insalvable, pues ni los términos que se unen ni el vínculo mismo de unión pueden admitir cotejo. Y entonces la imaginación busca imágenes más nuevas, más atrevidas, menos aparentemente posibles, o, si queréis, más extravagantes. Imágenes más escuetas y más impulsadas, con un prurito extremado, final, de linde o de cima. Y esto es, creo, lo que nos satisface, nos aquieta y nos incita en esta canción, basada en la imagen de cetrería: el azor o neblí tras de su caza:

> Tras de un amoroso lance,
> y no de esperanza falto,
> volé tan alto, tan alto,
> que le di a la caza alcance.

Toda la glosa es una maravilla:

> Para que yo alcance diese
> a aqueste lance divino,
> tanto volar me convino,
> que de vista me perdiese;

y con todo, en este trance,
en el vuelo quedé falto;
mas el amor fue tan alto
que le di a la caza alcance.

Cuando más alto subía,
deslumbróseme la vista,
y la más fuerte conquista
en oscuro se hacía;
mas por ser de amor el lance
di un ciego y oscuro salto,
y fui tan alto, tan alto,
que le di a la caza alcance.

Cuanto más alto llegaba
de este lance tan subido,
tanto más bajo y rendido
y abatido me hallaba.
Dije: «No habrá quien alcance»,
y abatíme tanto, tanto,
que fui tan alto, tan alto,
que le di a la caza alcance.

Por una extraña manera
mil vuelos pasé de un vuelo,
porque esperanza de cielo
tanto alcanza cuanto espera;
esperé sólo este lance,
y en esperar no fui falto,
pues fui tan alto, tan alto,
que le di a la caza alcance.

¡Qué vértigo de altura! El neblí asciende, como la saeta, tras la garza real. No hay circunstancia: en torno, desnudez de espacio infinito. Y el amor divino es ya un furor, un frenesí de búsqueda. Y la unión, solo un grito cimero de júbilo y de victoria:

y fui tan alto, tan alto,
que le di a la caza alcance.

Poesía, otra vez, en la línea conceptual: fríamente abrasada, elemental de representación, escuetamente desnuda, blancamente matemática de lo inefable, exaltadora de todo nuestro impulso humano ascensional y coronador.

Como otras del poeta, de las escritas en metro menor, está oscurecida por la merecida fama de los poemas centrales. Y no es justicia.

FINAL

...QUASI AL COMINCIAR DELL'ERTA

DESDE esta ladera del otero, casi aún en el fondo del valle, hemos querido escudriñar la cima de la poesía de San Juan de la Cruz. Hemos utilizado los recursos de la historia y la crítica literarias, ¡bien pobres instrumentos! Algo creo que hemos conseguido de este lado humano. Hemos tratado de explicar lo explicable—solo lo explicable—. Hemos comenzado estas páginas con el estudio de todo lo que en el arte de San Juan de la Cruz se aclara por la tradición literaria de su siglo XVI. Netamente dividida esta en una reciente tradición culta, renacentista, y una larga tradición popular castellana, en ambos sustratos se enraíza y se nutre esta maravillosa zarza florida de la poesía de San Juan. Pero en una capa aún más profunda, la poesía bíblica del *Cantar de los Cantares,* se arraigan las más fuertes y gruesas raíces. Nos hemos acercado luego a la misma maravilla que florece y embriaga. Hemos analizado la composición del lenguaje, y hemos visto en qué consiste el principal encanto diferencial de su estilo con relación al común en la poética renacentista. Hemos querido indagar la materia y la estructura de cada una de estas flores maravillosas; y los poemas, uno a uno, nos han ido mostrando, junto a su encanto específico, el cumplimiento de una ley común: la estructura de cada uno de estos poemas muestra tal dominio del desarrollo, una tan intuitiva, pero también tan sabia ordenación, gradación y contraposición de las partes, que, del lado humano, San Juan de la Cruz se nos prueba consumado técnico, un refinado artista de la palabra como instrumento literario.

Esta impresión se confirma si consideramos ahora, no cada poema en particular, sino en su mutua relación. Ocurre que, en esta obra tan breve, cada poesía presenta netos rasgos de individualidad. Es posible que el lector volandero no perciba esta rica variedad de la lírica del santo. La lírica de San Juan de la Cruz revela un intento ponderado, una lucha, que tenemos que suponer consciente, para aproximarse a la expresión de lo inefable por una serie de vías perfectamente contrastadas: con la languidez y morosidad de la pastoral renacentista, en el *Pastorcico;* por la vía ágil de lo conceptual, que estaba preparando el conceptismo del siglo siguiente, en las coplas de *Entréme donde no supe* y *Tras de un amoroso lance;* recreando genialmente el ambiente de nítida belleza del *Cantar de los Cantares,* en el *Cántico espiritual;* con la creación de un inmenso símbolo en los poemas de la *Noche* y de la *Llama,* pero aun estos diferenciados de tal modo, que lo que en el de la *Noche* es seguro avanzar conceptual y al fin embriagado abandono entre flores, es en el de la *Llama* llameante entrecortada expresión admirativa, casi interjectiva.

Quedan, pues, estos hechos que, puestos en contacto, producen escalofrío: San Juan de la Cruz es un maravilloso artista literario y el más alto poeta de España; este máximo poeta gana tal cumbre literaria, no con las bibliotecas que salieron de la pluma de Lope, ni con la normal producción de un Garcilaso, un Herrera, un Góngora, un Quevedo: con una obra mínima: cuatro o cinco poemas en endecasílabos y una media docena de composiciones en metro menor; y estas composiciones tienen tal variedad, que casi se puede decir que cada una de ellas representa una visión y una técnica poéticas completamente distintas: fenómeno único en la literatura castellana.

Ad pulchritudinem tria requiruntur: integritas, consonantia, claritas[328]. En cada uno de los poemas, lo mismo que en el conjunto de ellos, se cumple con nitidez esta ley aquiniana: integridad o totalidad individualizadora, consonancia o armonía interna, y una maravillosa claridad, una extrahumana irradiación. Estas líneas han querido demostrar las dos condiciones primeras, y, ¡ay!, solo entrever la última.

Porque yo hablaba del lado humano, desde esta ladera. Y después del análisis, al final del camino, nos encontramos con el muro ingente, con la puerta cerrada que sella el prodigio intangible de lo poético, infinitamente más cerrada aquí e impenetrable, pues no son sino operaciones divinas lo que se encierra detrás.

Nos queda la nostalgia. ¡Desoladora nostalgia del que quiere entrever los prados altos y ocultos! Desde la ladera del otero, mientras en el fondo del valle las monstruosas fuerzas del odio se afanan en la destrucción, ¡qué deseo de volvernos al amor que salva y, con San Juan de la Cruz, abandonar nuestro cuidado entre las rosas, entre las azucenas![329].

NOTAS

NOTAS

[1]. *Estudios de crítica literaria,* 1.ª serie, 3.ª edición. Madrid, 1915, págs. 55-56.

[2]. 1.ª ed., París, 1924; 2.ª ed., 1931. (Citado: BARUZI.) La exquisita minucia con la que Baruzi aporta las pruebas documentales, me libra de repetir aquí una anotación que en esa obra puede encontrarse con facilidad.

[3]. En el aspecto doctrinal se le han hecho observaciones: los lectores españoles pueden ver, ante todo, la briosa argumentación del P. Crisógono de Jesús Sacramentado, *San Juan de la Cruz, su obra científica y su obra literaria,* Madrid, 1929. (Citado: P. CRISÓGONO.)

[4]. *Obras del místico doctor San Juan de la Cruz. Edición Crítica ... del P. Gerardo de San Juan de la Cruz,* 3 tomos, Toledo, 1912-1914. *Obras de San Juan de la Cruz ... editadas ... por el P. Silverio de Santa Teresa,* 5 tomos, Burgos, 1929. Designaré la ed. del P. Silverio, por *Obras,* y de ahí es de donde, mientras no se haga advertencia alguna, reproduzco los textos del Santo.

[5]. Para los problemas textuales del *Cántico espiritual,*

v.: BARUZI, 16-32; Dom Chevalier, *Le Cantique Spirituel...*, 1930; *Obras*, III. *Introducción*.

[6]. Consúltese BARUZI, 49-54; *Obras*, IV, LXXXVII-XCVIII.

[7]. En su estudio sobre Abenarabi (*El Islam cristianizado*, Madrid, 1931, *passim*), señala coincidencias entre el sufí murciano (1164-1240) y San Juan de la Cruz, explicables por el «común abolengo cristiano» de la doctrina. Posteriormente, en su artículo *Un precursor hispanomusulmán de San Juan de la Cruz* (*Al-Andalus*, I, 1933, págs. 7-79, recogido en el libro *Huellas del Islam*, Madrid, s. a.), al encontrar semejanzas aún más curiosas entre nuestro santo y Aben Abad de Ronda (1332-1389), llega a pensar que los moriscos del siglo XVI hayan podido servir de elemento transmisor.

[8]. Mi estudio sobre *La poesía de San Juan de la Cruz* apareció en 1942, editado por el Consejo Superior de Investigaciones Científicas. En la segunda edición se publicaron, al mismo tiempo, las poesías completas del Santo y una antología de los comentarios en prosa que él mismo escribió, y en que se declara el sentido místico de sus tres poemas mayores.

[9]. BARUZI, 156-157.

[10]. Véanse los testimonios en BARUZI, 185, notas 1 y 2, y en *Obras*, I, 132-135. María de San José, en 1627, afirma haber sido escritas en la cárcel las canciones de la *Noche oscura*. Creo que nadie ha observado con qué facilidad pudo confundir la testigo las coplas de *Aunque es de noche* con las canciones de la *Noche oscura*. Una confusión verbal no muy distante de esta sufrió Menéndez Pelayo cuando en su discurso de la *Poesía mística* habla de la *Subida del Monte Carmelo* y de la *Noche oscura del alma* como de poesías y diferentes (*Est. de Crít. Lit.ª*, 1.ª serie, 3.ª ed., Madrid, 1915, 55-56). Hay dos cosas distintas: el poema de la *Noche oscura*, y sus dos comentarios en prosa (la *Subida del Monte Carmelo* y la *Noche oscura del alma*), en realidad, probablemente un solo tratado, con la interpretación de las noches «en cuanto a lo activo» en la *Subida*, y «en cuanto a lo pasivo» en la *Noche oscura*. Comp. OBRAS, II, 13, 59 y 364. Sin embargo, otra monja asegura en 1614 que el santo escribió en Toledo la «declaración de la *Noche oscura*» (*Obras*, I, 135, nota 2); pero, según el P. Silverio, su testimonio es muy confuso y poco digno de fe.

[11]. Tomo de Keniston los siguientes ejemplos del uso temprano de la lira: Acuña la emplea también en una canción pastoril, «Damón, ausente de Galatea» (Keniston, *Garcilaso de la Vega*, Nueva York, 1922, pág. 380). Diego Ramírez Pagán, en *Floresta de varia poesía*, Valencia, 1562 f. (s_6); Lomas Cantoral, *Obras*, Madrid, 1578, fols. 120-131; Pedro de Padilla, *Tesoro de varias poesías*, Madrid, 1580, fols. 22, 47, 115, etc. También Cetina la usó en una ocasión. (Keniston, *Obra cit.*, nota 1 a la página 380.)

[12]. *Luis de León*... [trad. del P. Celso García], Barcelona, s. a., 266-268. Coster (*Rev. Hispanique*, LIII, 1921) fecha tempranamente (antes de 1560) algunas composiciones originales. Otros, como el P. José Llobera (*Obras poéticas de fray Luis de León*, Cuenca, 1922, 412 y siguientes), las quieren tardías. Las razones son muchas veces pintorescas. Hay quien le tiene tan medido el huelgo poético a fray Luis que no le concede ni un adarme más antes de 1570, por ejemplo. Casi todo es pura hipótesis, y sin agarradero ninguno.

[13]. En esa compañía andaban mezcladas poesías atribuidas (a mi juicio, sin razón) a fray Luis en un cartapacio salmantino de fines del siglo XVI, propiedad del antiguo Centro de Est. Hist., que yo me proponía editar. Hoy, perdido. El ms. no estaba aún catalogado ni incorporado a la biblioteca de la casa.

[14]. Hay, sin embargo, algunos mss. que contienen poesías de los dos. Comp. *Obras*, IV, pág. XCI. La poesía que empieza «Del agua de la Vida» (titulada a veces *Ansía el alma estar con Cristo*) aparece en los mss. unas veces atribuida a San Juan, y otras, a fray Luis (Ib., páginas XCI-XCIII). El estilo más corresponde a la técnica de este último, y pudiera ser de alguno de sus imitadores. Estoy de acuerdo con el P. Silverio; no hay razón ninguna extrínseca (y pudiera añadirse: ni intrínseca) para atribuirla a San Juan. Uno de los más brillantes eruditos de la joven generación, Luis Vázquez de Parga, ha colacionado escrupulosamente esta poesía con el himno latino de donde procede (*La poesía «Del agua de la vida» y el himno «De gloria Paradisi»*, de San Pedro Damiano, en *Revista de Bibliografía Nacional*, III, 217-233). En su excelente trabajo puede verse la historia de las atribuciones de esta composición. Baruzi ha visto bien el «tono

enfático» de esta pieza, obra retórica, ampulosa, aunque no vulgar. Nada en ella que revele «experiencia mística», nada de «unión». Es el ansia del desterrado, que contempla las altas delicias desde lejos; es la posición de fray Luis, no la de San Juan. Esto por lo que toca al estilo. Agréguese que no se encuentra incluida en ninguna edición ni manuscrito de obras del santo, verdaderamente autorizados.

[15]. María Rosa Lida, en un erudito trabajo que hemos de citar a menudo (*Rev. de Filología Hispánica,* I, 1939, pág. 43, nota 1. Citado en adelante: LIDA), afirma que fray Luis de León fue maestro de San Juan de la Cruz; se basa en una frase de fray Jerónimo de San José, en la que este llamaría a fray Luis «buen lapidario... desta piedra rica [es decir, de San Juan de la Cruz]». Probablemente, la diligente y finísima investigadora argentina no ha tenido al alcance de la mano la obra de fray Jerónimo, pues este dice algo muy distinto. Reproduzco todo el pasaje: «*Estima que personas insignes han hecho destos libros* [de San Juan de la Cruz]. La dignidad y excelencia de los escritos de nuestro Venerable y Místico Doctor, aunque algo queda declarada, se conocerá más, si ponemos los ojos en los varones insignes que han hecho estima della, entre los quales, discurriendo con el tiempo (sin graduar personas, ni familias), el primero que se ofrece a la memoria, y que como buen lapidario conoció luego la fineza y valor desta piedra rica, fue el doctísimo Maestro fray Luis de León, admiración y gloria de su edad, y honor perpetuo de la Religión del glorioso Padre San Agustín, el qual aviendo venido a sus manos estos escritos, celebró con graves ponderaciones la profundidad, y espíritu de su Autor, que aun era vivo, con cuya calificación llegaron también a los ojos de la señora Emperatriz doña María, que estava en el Real Convento de las Descalças Franciscas de Madrid, y hablando con algunos de los Carmelitas Descalços, dixo no aver leído jamás dotrina de espíritu tan alta y admirable. Siguieron en este sentimiento al Padre Maestro fray Luis, otros muchos de su misma familia...» (Fray Jerónimo de San José, *Historia del Venerable Padre Fray Juan de la Cruz...*, Madrid, 1641, 393-4). Como se ve, de las palabras de fray Jerónimo parece deducirse precisamente lo contrario: que no se conocían y que un

día llegaron las obras de fray Juan a manos de fray Luis, el cual como buen catador de piedras finas, las justipreció en seguida. Otro testimonio coincidente, es un ms. de la Bibl. Nac., BARUZI, 128, nota 2. Baruzi supone razonablemente que fue entre 1585 y 1589, mientras trabajaba en la edición de Sta. Teresa, cuando fray Luis llegó a conocer las obras de nuestro Santo.

[16]. Esta imitación consiste en reproducir la combinación de los seis primeros versos del tipo estrófico de la *Canción segunda;* pero no los toma directamente del gran poeta, como es sabido ya por la crítica y nosotros veremos más adelante al hablar del influjo de Boscán y Garcilaso a lo divino, págs. 38-39. BARUZI, 109-111, aclaró definitivamente esta cuestión.

[17]. Véase más adelante, pág. 74.

[18]. Los ejemplos que siguen proceden de BARUZI, 113-117.

[19]. *Llama,* estr. 2.ª

[20]. *Egloga 1.ª,* versos 259-260 y 270. Todas las citas de Garcilaso, según la ed. de Navarro Tomás, *Clás. Cast.,* Madrid, 1935.

[21]. *Cántico,* estr. 13.

[22]. *Egloga 1.ª,* versos 367 y 295.

[23]. Véase esta canción en P. CRISÓGONO, II. 412-414.

[24]. *Egloga 1.ª,* versos 239-240.

[25]. *Cántico,* estr. 29.

[26]. Los ejemplos que siguen, hasta donde se indica en el texto, proceden del P. CRISÓGONO, II, 26-28.

[27]. *Egloga 1.ª,* versos 402-404. LIDA, 43, nota 1, compara estos mismos versos de Garcilaso con otros de la estrofa 3 del *Cántico Espiritual:*

> Buscando mis amores
> iré por esos montes y riberas.

Son aún parecidos vagos, que solo indican la comunidad de expresión y ambiente poéticos.

[28]. *Cántico,* estr. 35.

[29]. *Cántico,* estr. 22. La estrofa continúa: «...y en él preso quedaste». Este servir el cabello como lazo o prisión es tema petrarquesco innumerables veces repetido. (Compárese: LIDA, en *Rev. de Filología Hispánica,* I, 1939, pág. 43, nota 1.) Por otra parte, la estrofa 22 es evidente imitación del *Cantar de los Cantares* (v. más abajo, pági-

na 109), y el vuelo del cabello, tema popular castellano. Así se enzarzan los influjos en San Juan de la Cruz.

[30]. *Soneto 23.*

[31]. *Obras de... Góngora,* ed. Millé, págs. 466-7.

[32]. *Llama,* estr. 1.ª

[33]. *Soneto 22.*

[34]. *Rev. de Filología Hispánica,* I, 1939. Es el trabajo que en estas notas venimos designando por LIDA. Véase en él la nota a la pág. 43.

[35]. San Juan, *Llama,* estr. 1.ª Garcilaso, *Egloga 1.ª*, versos 398-9; *Egloga 2.ª*, versos 534-5; y San Juan, *Obras,* IV, 27-28.

[36]. Garcilaso, *Egloga 1.ª*, verso 216; *Egloga 2.ª*, versos 1150-1; San Juan, *Cántico,* estr. 4. Observa LIDA, *ib.*, cómo la huella llega a veces a los comentarios en prosa: "La declaración del verso «los valles solitarios nemorosos» sigue muy de cerca los primeros versos de Nemoroso, y calca uno de sus giros: «Los valles... de dulces aguas llenos» = «verde prado de fresca sombra lleno»". Ese pasaje de los comentarios podría compararse también con la descripción de la espesura de verdes sauces al principio de la *Egloga 3.ª*

[37]. Garcilaso, *Egloga 1.ª*, versos 217-8 y 178; San Juan, *Cántico,* estr. 35.

[38]. V. más arriba pág. 30.

[39]. San Juan, *Llama,* estr. 1.ª; Garcilaso, *Canción 1.ª*, versos 614 y 618.

[40]. Por intermedio de Sebastián de Córdoba. Véase más abajo págs. 38-39.

[41]. *Cántico,* estr. 11.

[42]. *Egloga 2.ª*, versos 746-7.

[43]. *Ib.*, versos 2-8.

[44]. *Ib.*, versos 910-14.

[45]. V. más abajo, págs. 52-53.

[46]. San Juan, *Cántico,* estr. 31; *Cantar de los Cantares,* III, 5. José María de Cossío, en una conversación, me hizo notar cómo chocaba la palabra *ninfas* con el ambiente del *Cántico.* A alguien le debió chocar antes, tanto que sustituyó la palabra. «Doncellas de Judea» se lee en la *Floresta* de Böhl de Faber, en vez de «ninfas de Judea». Conocidas son las libertades que el padre de Fernán Caballero se permitió con los textos por él reunidos.

[47]. *Cántico,* estr. 38.
[48]. *Egloga 1.ª,* versos 231-4.
[49]. LIDA, pág. 44, nota 1.
[50]. *Egloga 2.ª,* versos 1146-50.
[51]. *Cántico,* estr. 38.
[52]. Versos 533-7. Luego, pág. 37 y sigs., hemos de discutir el influjo de la refundición de Sebastián de Córdoba. El influjo será aquí de Garcilaso y no de su refundidor, pues en este el pasaje es modificado así:

> esta me hizo al fin que me saliese
> por el silencio de la noche oscura...

[53]. Estr. 1.ª
[54]. *Llama,* estr. 1.ª V. más arriba, pág. 30.
[55]. Menéndez Pelayo *(Antología de poet. lír. cast.,* XIII, Madrid, 1927, págs. 391-3) cita ejemplos del siglo XVI, si bien tardíos. Seguramente que Malón de Chaide y López de Ubeda, que son los autores alegados, tuvieron predecesores en esta dirección.
[56]. En el cap. dedicado a *Elementos populares y de cancionero* hemos de ver ejemplos de cómo San Juan volvió a lo divino temas profanos de la poesía tradicional. V. página 86 y sigs.
[57]. Menéndez Pelayo, *Antol. de poet. lír. cast.,* XIII, 393-4.
[58]. Lo que podía ser un Boscán, vertido a lo espiritual, estaba ya—en cierto modo—realizado en los dos poemas, la *Conversión* y el *Mar de Amor,* que, atribuidos al barcelonés y desde la ed. de Amberes, 1544, suelen figurar en las impresiones de Boscán y Garcilaso. Menéndez Pelayo *(Antol. de poet. lír. cast.,* XIII, 260) tiene esas composiciones por «de autenticidad indisputable».
[59]. Algunas veces se llama también liras a estrofas de seis versos. Comp. Rengifo, *Arte poética.* Nótese la mala concordancia del pasaje. Es probable que lo primero escrito fuera «Estas liras son...». Una corrección mal casada pudo introducir la incongruencia.
[60]. *Obras...,* IV, 6, nota 3, y 109, nota 1. El P. Silverio relega a nota el pasaje citado, que figura en las dos redacciones de la *Llama* y en casi todos los manuscritos. Si hay algo seguro, es que esas palabras pertenecen al texto original. Así lo afirma también BARUZI, 108 y 111.

En el texto aparecen en la ed. del P. Gerardo de San Juan de la Cruz, Toledo, 1912-1914, II, 621 y 386-7.

[61]. BARUZI, 108-112. Un poco más abajo, pág. 74, tendremos ocasión de matizar alguna de sus afirmaciones.

[62]. Sebastián de Córdoba, *Las obras de Boscán y Garcilaso trasladadas en materias cristianas y religiosas,* Granada, 1575, fol. 229 v. Libro que en adelante cito por CÓRDOBA.

[63]. Es la misma ordenación que en la versión primitiva (ed. de Barcelona, 1543) estableció la viuda de Boscán, para quien, naturalmente, lo importante eran las obras de su marido. ¡Pobre señora!

[64]. Como digo en las *Conclusiones* a este capítulo, pág. 74, creo mucho más probable que fuera antes, en Medina, donde San Juan entrara en contacto con la poesía de Garcilaso de la Vega.

[65]. BARUZI, 111-112.

[66]. Los datos que aquí se empiezan a aportar y que prueban el influjo de la versión a lo divino de Garcilaso, nos obligarán a sopesar de nuevo las pruebas de influencia directa del gran poeta pastoril sobre San Juan. Véase más arriba, pág. 37, y más abajo, pág. 70 y sigs.

[67]. CÓRDOBA, fols. 258v.-259. El lector habrá visto que el centro de la acción entre Silvanio y Celia constituye un verdadero «pleito matrimonial del Cuerpo y el Alma». No puedo determinar ahora qué relación pueda existir entre esta égloga a lo divino y el auto de Calderón de la Barca, ni entre ella y las obras tenidas por antecedentes del auto. Comp. Valbuena, en el prólogo a *Autos Sacramentales,* de Calderón, II, págs. LVIII-LXI.

[68]. Véase más arriba, pág. 32 y sigs.

[69]. «Espíritu», en lo impreso. Pero Córdoba medía *espirtu* sin la *i* postónica, a la manera petrarquesca («Spirto felice, che si dolcemente...»), siguiendo también en esto a Garcilaso. Comp. *Egloga 2.ª* (a lo profano), verso 559.

[70]. «entretejendo». La ortografía y la pronunciación modernas hacen incomprensible esta forma. En CÓRDOBA, «entretexendo». Es caso de embebimiento de yod tras palatal. El uso en el siglo XVI presenta aún muchas irregularidades, a veces en contradicción con el moderno *(descabulliendo, rigesses, ungeron,* figuran en distintas impresiones de la trad. del *Enquiridion,* de Erasmo, todas de dicho siglo; véase la ed. de Madrid, 1932, pág. 501). El

uso moderno embebe cuando ha persistido la palatal; así es casi forzoso, pues el elemento yod naturalmente se funde en la última parte (fricativa) de la africada palatal *(tiñó, descabullendo,* frente a *vivió, viviendo);* pero cuando se trata de las antiguas palatales *x* y *j,* que han pasado a ser un solo sonido gutural (ortografía: *j* o *g),* la lengua en unos casos se ha inclinado por formas con yod en las que triunfa el sentido de uniformación analógica *(rigieses, ungieron, tejiendo),* en otras ha mantenido las sin yod; estas conservan, pues, el uso antiguo cuando ya han desaparecido las causas que le originaron *(dijeron, trajeron,* frente a *vinieron, supieron).* Dado lo forzoso del embebimiento tras palatal, hay que pensar que formas medievales como *dixiere,* etc., no deben interpretarse sino como grafías analógicas sin un valor fonético. Véase mi ed. del *Don Duardos,* de Gil Vicente, Madrid, 1942, notas 407 y 1.398.

[71]. CÓRDOBA, fols. 267v.-268.

[72]. *Ib.,* fol. 268.

[73]. Comp. BARUZI, 114-5: delicadas páginas. Con esta impresión viene a coincidir, aunque por otro camino, Montolíu, quien hace observar que «maneras de decir», de la *Diana,* «como *de corazón muy de veras lastimado* recuerdan versos de San Juan de la Cruz; *y el pecho del amor muy lastimado*». *(Literatura Castellana,* Barcelona, 1929, 348-349.) Tiene razón Montolíu al señalar el parecido. Pero no es muy probable que se trate de un influjo. Hay que conocer el pasaje entero de la *Diana,* que dice así: «Con grandísimas muestras de tristeza y de corazón muy de veras lastimado, relataba la pastora a Belisa la carta de Arsenio, o, por mejor decir, de Arsileo su hijo» *(Nueva Bibl. de AA. EE.,* VII, 290). Es muy difícil que de la hilaza de esta prosa se le ocurriera a San Juan de la Cruz, ni a nadie, arrancar unas cuantas palabras «y de corazón muy de veras lastimado» para refundirlas con ritmo endecasilábico (y alguna otra alteración) en «y el pecho del amor muy lastimado». Se trata sin duda de una coincidencia explicable por la época y por los medios expresivos de lo pastoril. En todo caso, lo que se diga ha de ser provisional, mientras no se rastree más en busca de coincidencias, en la obra de Montemayor. A. Castro *(Los prólogos al «Quijote»,* en *Rev. de Filol. Hisp.,* III, 322-324), señala acertadamente los parecidos de la posición espiritual del místico y el héroe pastoril, y también—sin intención de

descubrir «fuentes»—conexiones entre la prosa de Santa Teresa y la de la *Diana.*

[74]. *Cantar de los Cantares,* VIII, 5.

[75]. Págs. 53-4.

[76]. *Egloga 2.ª,* verso 435.

[77]. CÓRDOBA, fol. 268.

[78]. *Ib.,* fols. 272v.-273.

[79]. Comp.: «...a estas dos potencias [imaginativa y fantasía] pertenece la meditación, que es acto discursivo por medio de imágenes, formas y figuras fabricadas e imaginadas por los dichos sentidos, así como imaginar a Cristo crucificado, o en la columna, o en otro paso... Todas las cuales imaginaciones se han de venir a vaciar del alma, quedándose a oscuras, según este sentido, para llegar a la divina unión; por cuanto no pueden tener alguna proporción de próximo medio con Dios, tampoco como las corporales, que sirven de objeto a los cinco sentidos externos. La razón de esto es, porque la imaginación no puede fabricar ni imaginar cosas algunas fuera de las que con los sentidos exteriores ha experimentado... Y por cuanto todas las cosas criadas, como ya está dicho, no pueden tener alguna proporción con el ser de Dios, de ahí se sigue que todo lo que se imagine a semejanza de ellas no puede servir de medio próximo para la unión con El, antes, como decimos, mucho menos. De donde los que imaginan a Dios debajo de algunas figuras de estas... harto lejos van de El» *(Obras...,* ed. del P. Silverio, II, páginas 114-5). A continuación restringe, afirmando que la meditación por imágenes sensibles es necesaria a los principiantes. Aun así, el contraste con San Ignacio y su «composición de lugar» no puede ser más evidente. De este contraste ha tratado doctamente Miguel Herrero García: *San Juan de la Cruz. Ensayo literario,* Madrid, 1942.

Problema importante plantea el dibujo hecho por el santo y conservado (con un gran celo) en el convento de la Encarnación, de Avila, que fue reproducido, formando parte de un grabado, en la biografía de San Juan por fray Jerónimo de San José en 1641. V. Orozco Díaz, *Mística y plástica (comentarios a un dibujo de San Juan de la Cruz),* en *Bol. de la Univ. de Granada,* XI, núms. 55-56. El dibujo representa con extraña impresionante perspectiva un terrible Cristo crucificado. ¿Cómo se conlleva con las líneas de los *Comentarios,* que acabo de transcribir? Creo este problema esencial para la comprensión de la personalidad del Santo, y sé que ha sido tratado en interesantísima conferencia por Sánchez Cantón.

Es, por otra parte, realmente curioso que San Juan de la Cruz, cuyo apasionado y alto fervor dista un abismo de la fría concepción intelectual del pusilánime Erasmo, coincida tantas veces con el doctor norteño en su crítica de lo externo y sensible. Muchas páginas de la *Subida* y la *Noche* concuerdan exactamente, en la afirmación y en la restricción, con la *Regla Quinta* del *Enquiridion*. Para el tema de la meditación por lo externo, comp. en la ed. del *Enquiridion,* de Madrid, 1932, las págs. 368 y sigs.

[80]. Comp. el largo pasaje citado más arriba, págs. 42-43.

[81]. En la larga y eruditísima reseña que María Rosa Lida dedicó a la primera edición del presente libro *(Revista de Filología Hispánica,* V, 1943, 377-395), unas ocho páginas (381-388) se emplean en discutir la derivación de la poesía del *Pastorcico.* La distinguida investigadora argentina cree que el influjo primordial es aquí el bíblico. ¡Desde luego! ; y quien haya leído lo que digo en el texto, pág. 45, sabe que pienso igual, pues sin la Biblia y la interpretación patrística de los «dos árboles» (del pecado y de la Redención) no existiría el poema del *Pastorcico.* Pero aparte este influjo primario, que en San Juan ya no es influjo, sino necesaria atmósfera, clima en que vive, ninguna otra coincidencia concreta se señala. (La expresión «en tierra ajena» es de los Salmos, y también de la lengua diaria de todos.) Lo único concreto, tangible, es esto: dos árboles, con dos pastores muertos uno en Córdoba, lectura de San Juan; y otro en San Juan; el árbol de la égloga convertido en el de la Redención. Esto no quiere decir que no hayan podido coincidir aquí otros muchos influjos. No creo, ni lo he creído nunca, que una obra de arte se explique por «una» causa. Es muy probable que el tema del *pastorcico* tenga una vida literaria mucho más larga. Habría probablemente que escudriñar la poesía religiosa de la Edad Media. Existe una poesía inglesa anónima muy conocida, atribuida al siglo XV, que muestra un sentimiento y un ambiente cercano al del *Pastorcico,* con otras curiosas coincidencias que el lector notará en seguida. He aquí algunas estrofas:

In a valley of this restles mind
I sought in mountain and in mead,
trusting a true love for to find.
Upon an hill then took I heed;
a voice I heard (and near I yede)
in great dolour complaining tho:
«See, dear soul, how my sides bleed
quia amore langueo.

Upon this hill I found a tree,
under a tree a man sitting;
from head to foot wounded was he;
his hearte blood I saw bleeding;
a seemly man to be a king,
a gracious face to look unto.
I asked why he had paining:
—«Quia amore langueo»...,

etcétera.

(Véase esta composición—toda ella es interesante—, por ejemplo, en el *Oxford Book of English Verse,* ed. 1923, número 24.) Ahora bien: el estribillo *Quia amore langueo* procede del *Cantar de los Cantares* y era también gustosa cita de San Juan de la Cruz (Comp. *Obras,* t. III, pág. 39). Claro está que nada más lejos de mi intención que el sugerir contacto directo entre esta poesía inglesa y el *Pastorcico.* Sí creo en la comunidad de ambiente espiritual: es una ascendencia común, dentro de la literatura devota.

Así escribía yo, tanteando, en la segunda edición de este libro. Hoy José M. Blecua nos ha aclarado los orígenes del *Pastorcico* (RFE, 1949, XXXIII, págs. 378-380): todo en él—menos una estrofa—procede de una canción amatoria profana; el Santo la ha vuelto a lo divino. Pero en la estrofa final, que San Juan añade, el árbol de la égloga, vuelve a hacerse símbolo de la Cruz, como había ya ocurrido en Córdoba, cuyos versos el santo poeta conocía. Y, cosa curiosa, la expresión «en tierra ajena», estaba ya en la canción amatoria profana.

El P. Emeterio G. Setién de Santa María, en su libro *Las raíces de la poesía sanjuanista...,* págs. 205-225, no se deja convencer ante la prueba aportada por Blecua.

Después, el P. Angel Custodio Vega ha publicado un nuevo *Pastorcillo* profano, cuyas primera y última estrofas coinciden con la primera y segunda de la versión profana de París y con la «a lo divino» de San Juan de la Cruz. *(En torno a los orígenes de la poesía de San Juan de la Cruz,* en *La Ciudad de Dios,* CLXX, 1957, págs. 661 y siguientes.)

Como ya anunciaba el P. Vega, yo poseo (por amable cesión de mi amigo Eugenio Asensio) una fotocopia del ms. del cancionero classense 263, de Ravena, fol. 8, v., donde se contiene una nueva versión profana del mismo poema (puntúo, acentúo y corrijo el verso 13: «a jurado» en vez de «an juardo»):

CANCION

Vn Pastorçillo solo está asentado,
ajeno de alegría y sus contentos,
y en su pastora firme el pensamiento,
el pecho del amor muy lastimado.

No llora por pensar questá aluidado,
que ningún miedo tiene del oluido,
mas porque el coraçón tiene rendido
y el pecho del amor muy lastimado.

Y miraua el cauello muy dorado,
y diçe: «Ay, cauellos que algún día
me dáuades contento, aunque tenía
el pecho del amor muy lastimado.»

Y por los altos dioses a jurado
de no miralla más como solía,
porque la ingrata y dura le tenía
el pecho del amor muy lastimado.

Las tres versiones profanas y la divinizada coinciden en las dos primeras estrofas (si bien, como hemos dicho, en la versión publicada por el P. Vega, la 2.ª estrofa de las otras tres versiones ha pasado a posición final). Pero la versión publicada por Blecua y la de San Juan de la Cruz tienen aún otras dos estrofas comunes. O dicho de otro modo, las cuatro estrofas profanas de que consta la versión Blecua están divinizadas en San Juan de la Cruz; pero el Santo ha añadido una quinta estrofa (en la que el árbol de la égloga tiene una simbolización cristiana, como ocurría ya antes en Sebastián de Córdoba).

No cabe duda posible en la interpretación de estos hechos: se trata evidentemente de una canción que por medio de la música obtuvo un gran éxito en la segunda mitad del siglo XVI. Como en casos semejantes, lo siempre repetido eran las primeras estrofas (aquí la primera y la segunda); el resto sufría toda clase de variaciones y adaptaciones al caso particular de cada enamorado. Fue, no cabe duda, la gran popularidad de esta canción y lo delicado de su sentimentalidad lo que movió a San Juan de la Cruz a verterla a lo divino; la versión en que se basó fue, o la publicada por Blecua, o una muy próxima a esta.

Hay, pues, dos poesías del Santo, que son mera versión a lo divino de composiciones amatorias profanas: una esta del *Pastorcico* y otra que empieza «tras de un amoroso lance». (Véase, más abajo, nota 167 bis.) Es muy probable que ni aun así se convenza el P. Emeterio. ¡Qué se le va a hacer!

Para mí lo verdaderamente prodigioso es que tan baladíes materiales (esas dos canciones profanas) tocados por San Juan de la Cruz se carguen de profundo sentido y muevan fuertemente nuestro corazón.

No tendría ni que ocuparme del artículo de Peers en *Hisp. Review,* XX, 1952, págs. 248-253, porque todo él está basado en un error: allí (pág. 251) se afirma que yo me he limitado a hablar brevísimamente en la pág. 258 de *Poesía Española* del *Pastorcico.* Pero si el llorado Peers hubiera escrito con más serenidad, tenía forzosamente que haber visto que a partir de la pág. 284 dedico un amplio comentario a la comparación del *Pastorcico* de San Juan de la Cruz con su modelo profano. Y ¿qué pensar de su escamotear (en la pág. 253) la versión de la Vulgata y dar la «King James Version» porque esta dice «tree» (árbol) donde la Vulgata lee «lignum»? No queremos comentar más, y que en paz descanse el distinguido hispanista.

[82]. Etchegoyen, *L'Amour divin,* Burdeos, 1923, 228. Libro que citaré desde ahora por ETCHEGOYEN.

[83]. Más arriba, págs. 32-34.

[84]. *Hist. de la lit.ª nac. esp.ª en la edad de oro,* 1933, 108, nota 2.

[85]. Fol. 303 de *La seconda parte et aggiunta novamente ritrovata al libro di Platir, tradotta nella lingua italiana dagli Annale Antichi di Grecia* [Venecia, 1560]. En los preliminares, en una licencia de impresión que antecede a la dedicatoria a la condesa de Scandiano, se lee «opera tradotta in lingua italiana dalla spagnuola per messer Mambrino Roseo di Fabriano». Pero es obra original de Mam-

brino Roseo, y no traducción. Véase lo que decimos en el texto.

[86]. *Obras,* III, 52. Los comentarios al pasaje de la fuente (estr. 11) indican a las claras cuán ajena es la representación, en San Juan de la Cruz, de la prueba de los leales amantes, del *Platir.* He aquí el sentido de la estrofa según la «declaración»: «¡Oh fe de mi Esposo Cristo! ¡Si las verdades que has infundido de mi Amado en mi alma con oscuridad y tiniebla, las manifestases ya con claridad, de manera que lo que contienes en fe, que son noticias informes, las mostrases y descubrieses, apartándote de ellas, formada y acabadamente de repente, volviéndolo en manifestación de gloria!» *(Ib.).* Y luego, en el comentario de los versos, nos dice que los «semblantes plateados» de la fuente son las «proposiciones y artículos» de la fe; los «ojos» son «los rayos y verdades divinas», etcétera. Nada que recuerde la prueba de los leales amantes. Esta sensación no hace sino completarse si se lee el comentario a la estrofa siguiente *(Ib.,* 56-62).

[87]. En Alcocer, núm. 185. Figura en la bibliografía de libros anteriores a 1601, existentes en el Museo Británico, de H. Thomas.

[88]. Yo no he visto la ed. de 1533. Que la segunda parte italiana es obra original y no traducida lo afirma un investigador tan meticuloso y de creer como H. Thomas *(Spanish and Portuguese Romances of Chivalry,* Cambridge, 1920, 186-7). Comp. también Givanel y Mas en la nota 170 (pág. 51) de la *Biblioteca de libros de Caballerías (año 1805)* de Clemencín, en *Publicaciones cervantinas patrocinadas por Juan Sedó Peris-Mencheta,* III.

[89]. Hay dos citas de él en el *Quijote,* pero de las dos se desprende que para Cervantes era novelón del tiempo de Maricastaña:

«—Este es el *Caballero Platir*—dijo el Barbero.

»—Antiguo libro es ese—dijo el Cura—y no hallo en él cosa que merezca venia» (Parte 1.ª, cap. VI, ed. Rodríguez Marín, 1927, I, 206-7). Y más adelante nos dice (cuando finge haber buscado la continuación de la historia de Don Quijote), que «no había de ser tan desdichado tan buen caballero, que le faltase a él lo que sobró a Platir y a otros semejantes» (Parte 1.ª, cap. IX, ed. cit., I, 284).

[90]. Según la ed. de Venecia, 1534, fols. 150-154.

[90 a]. Me parece excesiva—en un sentido—la afirmación

que hago en el texto. No creo exacto decir que el «tema» de la fuente (según la novela) se extinga a la «primera generación». Lo importante no es la fuente. El objeto mágico cambia, pero lo esencial del tema es «la prueba de los leales amantes». Compárese el *Lai du Cor,* de Robert Biket, que deja su huella en el *Tristán de Leonís* y también en el *Orlando furioso.* Vide la nota de Bonilla en el *Tristán de Leonís,* Biblióf. Madrileños, pág. 137. En realidad estos temas tienen muchas metamorfosis (fuente, espejo, cuerno encantado) y una larga ascendencia que nos lleva a la «materia de Bretaña». Pero esto no mejora en nada la tesis de Pfandl.

[91]. V. más arriba, pág. 34.

[92]. CÓRDOBA, fol. 267 v.

[93]. «¡Oh fuente, de tal lado derivada!»... Pasaje de Córdoba citado más arriba, pág. 47.

[94]. «yo»: así en varios códices, entre ellos, el más autorizado (el de Sanlúcar de Barrameda). Otros manuscritos e impresiones leen *ya,* «con lo cual»—dice acertadamente el P. Silverio—«se quita al verso una familiar y delicadísima operación—esparcir los cabellos del Amado—en que la Esposa se entretiene, cuando el aire de la almena hiere su cuello y la suspende» *(Obras,* II, 5, nota 2). La lectura mejor parece, pues, «yo». No se olvide que no existen comentarios a estas estrofas últimas: ellos nos habrían podido aclarar el texto.

[95]. *Noche oscura,* estr. 7.

[96]. Comp. *Obras,* II, 171, y IV, 102.

[97]. En el Museo Británico.

[98]. «...y el ventalle de cedros aire daba», *Noche oscura,* estr. 6. Los diccs. no dan a *ventalle* más sentido que el de «abanico» (comp. fr. *éventail).* Hay toda una familia de palabras (fr. *éventail, ventail, ventaille;* prov. *ventalh, ventalha;* cat. *ventall, ventalla;* it. *ventaglio),* con distintos significados, de los que ahora interesan solo dos: «abanico» y «agujero o sitio por donde entra el aire» (comp. esp. *ventana).* El esp. *ventalle* y el it. *ventaglio* deben de ser galicismos o provenzalismos. ¿Cómo interpretar, pues, el verso? ¿Pensar que se trata de un abanillo «de cedro» (pero nótese el forzoso singular) con que la Esposa «regalaba» al esposo echándole aire? ¿O imaginar que este verso y el siguiente («el aire de la almena») repiten un sentido análogo: el aire filtrado entre las almenas, el aire

que al pasar movía los cedros, como un abanico, o el aire que se filtraba por entre los cedros? Estoy seguro de que la mayor parte de los lectores españoles (ignorando el sentido preciso de *ventalle)* se han imaginado siempre en ese verso el ligero menearse de las ramas de los árboles con la brisa. Así es la representación más bella. Me permito la libertad de seguir este primer impulso.

[99]. Antonio Machado.

[100]. Juan Ramón Jiménez.

[101]. *Noche oscura,* estrs. penúltima y última.

[102]. CÓRDOBA, fol. 269 v.

[103]. Comp. más arriba, pág. 28.

[104]. CÓRDOBA, fols. 228 v., 233 c., etc.

[105]. CÓRDOBA, fol. 269 v.

[106]. CÓRDOBA, fols. 257 v.-258.

[107]. P. CRISÓGONO, II, pág. 271.

[108]. Más adelante, págs. 96-104 y 169-170, la hemos de estudiar en varios aspectos diferentes. Véase también lo dicho más arriba, pág. 22.

[109]. *Cántico Espiritual,* estr. 14.

[110]. *Obras,* III, 76.

[111]. CÓRDOBA, fol. 269 v., y Garcilaso, *Egloga 2.ª,* versos 551-2. Véase más arriba, pág. 57.

[112]. *Obras,* II, 17 y 69. De la imagen auroral se vale también la *Conversión,* atribuida a Boscán (publicada por primera vez en las *Obras* de Boscán y Garcilaso, Amberes, 1544), y para Menéndez Pelayo, de indiscutible autenticidad:

> Ya llegaba el primer grado
> de la gracia, que se empieza
> donde aquel que es ya llegado
> si no pierde la cabeza
> se tiene por bien librado.
> Ya la luz esclarecía,
> la tiniebla se quebraba,
> aunque el sol no parecía
> do el cielo no se cerraba
> se mostraba el claro día...
>
> (Ed. Knapp, pág. 137.)

La *Conversión* es pieza curiosa. Ella pudo sugerir a Córdoba la idea de la versión a lo divino.

[113]. CÓRDOBA, fol. 233 v.

[114]. *Obras,* II, 83. Obsérvese que en Garcilaso no está la palabra *vidriera* (canción 4.ª, versos 61 y sigs.).

[115]. Había sido empleada la palabra *vidriera* con relativa frecuencia y desde fecha antigua como imagen de la Virgen. Don Juan Manuel, explicando cómo María «fincó virgen seyendo preñada», dice: «el sol, que es criatura entra et salle por una vedriera et la vedriera siempre finca sana» (*Bibl. AA. EE.*, LI, 350 b); fray Iñigo de Mendoza: «Tú quedarás tan entera / de la preñez del infante / qual queda la vedriera / quando en ella reverbera / el sol y passa adelante» (*Nueva Bibl. AA. EE.* XIX, 5 a); en el *Cancionero Espiritual*, Valladolid, 1549: «Esta [la Virgen] es vedriera rica / quel Sol sin corrompimiento / la traciende» (*Revue Hispanique*, XXXIV, 1915, pág. 93). En Francisco de Osuna se encuentra la palabra *vidriera* aplicada ya a la iluminación del alma humana por Dios: «cuando la divina claridad como en vidriera o piedra cristalina se infunde en el ánima, enviando delante como sol los rayos de su amor y gracia» (*Tercer Abecedario*, citado por ETCHEGOYEN, 246, nota 2). La imagen de la «vidriera» es complicada por San Juan de la Cruz de un modo que no está ni en Sebastián de Córdoba ni en Francisco de Osuna. Mas el planteamiento inicial de la imagen tiene más parecido con Córdoba: nótese cómo el verso del refundidor de Garcilaso «traspasan la muralla y vidriera» en el que hay una como alusión a recinto defendido, ha dejado su huella en la imagen militar, o a lo menos, de lucha, que implica el verbo «embestir» usado por San Juan de la Cruz. Claro que este habría leído a Osuna; si lo leyó, y si reparó en la imagen de la «vidriera», la lectura del libro de Córdoba—esta sí indudable—le refrescaría el recuerdo. El Prof. Ricard, de la Univ. de París, ha publicado dos interesantes notas en que se agregan bastantes imágenes de «vidriera» a las mencionadas por mí (*The Modern Language Review*, XL, 1945, págs. 216-217 y XLI, 1946, página 321).

[116]. ETCHEGOYEN, 244 y sigs.

[117]. «Eliminados... los vocablos técnicos y las imágenes metafóricas comunes a ambas escuelas [la xadilí y la de San Juan de la Cruz] por depender de la misma tradición cristiana y neoplatónica, todavía queda un residuo no despreciable de símbolos y voces comunes que carecen de precedente en aquella tradición y que son patrimonio privativo de la escuela *sadilí* y de la mística de San Juan de la Cruz» (Asín Palacios: *Huellas del Islam*, pág. 259).

Antes, en el *Islam cristianizado* explicaba por una tradición cristiana común las coincidencias entre San Juan y Abenarabi.

[118]. P. CRISÓGONO, II, 26.

[119]. CÓRDOBA, fol. 78.

[120]. *Obras de Boscán y algunas de Garcilaso de la Vega*... Barcelona, 1543, fol. 29 v.

[121]. CÓRDOBA, fol. 78.

[122]. *Ibid.*, fol. 78 v.

[123]. Para la imagen del fuego en la tradición franciscana y en Santa Teresa, v. ETCHEGOYEN, 232 y sigs. Todas estas imágenes suelen ser pormenorizadas, objetivas, externas. Nada en ellas que recuerde la total penetración en la entraña del símbolo, el absoluto traspasamiento que es la *Llama*. En la tradición poética del siglo XVI no dejan de encontrarse expresiones próximas al verso *Oh llama de amor viva*. En el mismo Boscán, «quemándosele el alma en vivo fuego» (ed. Knapp, pág. 369); sobre todo: «viva llama de amor así se encienda / en vosotras» *(Ib.*, pág. 460). Lo mismo en el *Cancionero Espiritual* de Valladolid, 1549: «El fuego vivo de amor / que mis entrañas atiza / y las asa» *(Rev. Hispanique*, XXXIV, 1915, pág. 146). Pero en el ejemplo de Córdoba hay una doble coincidencia, verbal y rítmica, que en estos no se halla.

[124]. V. más arriba, págs. 38-39.

[125]. Son los misteriosos caminos de la obra de arte, incomprensibles, claro, para los eruditos a palo seco. Así Cervantes imitó al principio de su *Don Quijote* (caps. IV, V y VII de la primera parte) el anónimo *Entremés de los Romances*, obrilla miserable, carente de todo valor literario. Sin embargo, esta opinión de Menéndez Pidal ha sido contradicha por varios eruditos. No les cabe en la cabeza, y creen que con ello se amengua la gloria del inmortal creador (véase *El Hospital de los podridos y otros entremeses alguna vez atribuidos a Cervantes*, Madrid, 1936, págs. 16 y 17 y nota 7, en la pág. 151). No pueden comprender que del humus de lo baladí nazcan las flores de lo genial. San Juan de la Cruz y Cervantes se apoyaron en lo mezquino para el maravilloso salto estético.

[126]. Más arriba, págs. 29 y 35. El primero es del soneto 23 de Garcilaso; el segundo, de su *Egloga* 2.ª, versos 1146-7.

[127]. CÓRDOBA, fol. 281 v.

[128]. *Cántico Espiritual,* estr. 38.

[129]. Menéndez Pelayo, *Antol. de poet. lír. cast.,* XIII, Madrid, 1927, pág. 397. Mas el perro muerto en el muladar puede tener los dientes blanquísimos; y el engendro literario encerrar vislumbres o chispitas de belleza. Ya lo hemos visto antes, págs. 69-70, y aún hemos de volver a insistir, págs. 76-77.

[130]. BARUZI, 111.

[131]. La edición de 1544 puede verse descrita en Pérez Pastor, *La imprenta en Medina del Campo,* página 31. La edición de 1553 es cierto que fue impresa en Valladolid, pero el librero (o los libreros) tenían su sede en Medina. Copio de Palau y Dulcet, *Manual del librero hispanoamericano,* t. I, pág. 254: «Brunet y otros citan una edición que en la portada reza: *Por Alexandro de Herrera en Medina del Cãpo* (y al fin:) *Valladolid en casa de Sebastian Martinez Año de 1553...* Existen ejemplares con otra portada que termina: *Por Iuã maria de terranoua y Iacome de liarcary. En Medina del Cãpo.* Todo lo demás igual.» La Biblioteca Nacional posee un ejemplar de este segundo tipo (R-4.673) y solo de este hablan Knapp y Menéndez Pelayo *(Antol. de poet. lír. cast.,* XIII, 159).

[132]. La influencia de los libros de Caballerías sobre Santa Teresa ha sido diversamente apreciada. (v. ETCHEGOYEN, 45.) He aquí la posición de M. Pidal: «*bebió aquel lenguaje y estilo* y aun escribió una novela caballeresca, según nos informa su primer biógrafo... Esos libros le sugirieron algunas imágenes de castillos, muros aportillados, jayanes, alcaides, artillería, pero no tomó de ellos formas estilísticas» *(La lengua de Cristóbal Colón ... y otros estudios ...* [Madrid, 1942], pág. 16). El paralelismo resulta aún más resaltado si se tiene en cuenta que asimismo los libros de caballerías sufrieron críticas de los rígidos moralistas (véase A. Castro, *El pensamiento de Cervantes,* Madrid, 1925, pág. 26, n. 2) y también se escribieron a lo divino.

[133]. Véase más arriba, nota 55 y pág. 37.

[134]. No hemos hablado de este aspecto del libro de Córdoba. Aquí es sin duda donde la destrucción del ambiente garcilasesco es más brutal.

[135]. Leída la obra de Garcilaso a esta nueva luz, es decir, pensando en un sentido espiritual y no profano, es maravilloso cuántos son los pasajes en que no es necesa-

rio alterar nada para que el nuevo significado resulte perfecto. Léanse, por ejemplo, los versos 61-72 de la *Canción Cuarta.* En verdad no era necesario convertirlos en la imagen de la vidriera, como hizo Córdoba. Véase más arriba, págs. 61-62.

[136]. Para la vacilación antigua entre *f-* y *h-* en esta región, véase el mapa «La *f* hacia 1300» en los *Orígenes del español,* de M. Pidal (frente a la página 240). Hoy el influjo castellano ha derribado aquí el bastión de *f-* hasta la misma raya portuguesa. Véase A. M. Espinosa (hijo) y E. Rodríguez-Castellano, *La aspiración de la «h» en el sur y oeste de España;* en *RFE,* XXIII, mapa, frente a la pág. 242.

[137]. Comp. Baruzi, 51, n. 3. Podría dudarse, entre «los romances, que» y «los romances que»; es decir, entre una función explicativa o especificativa, del relativo.

[138]. *Boletín de la Biblioteca Menéndez Pelayo,* Santander, XI, 276.

[139]. *Obras,* III, 153.

[140]. *Primavera,* núm. 116.

[141]. De un ms. de la Bibl. Nacional, citado por el P. Crisógono, II, 30.

[142]. Cossío, *Poesía española, notas de asedio,* Madrid, 1936, págs. 101-3. Además de estar en el *Cancionero de Barbieri* (donde no aparece sino en el índice, comp. página 54) y en el *Cortesano* de Milán, según cita Cossío, puedo añadir que figura en el *Cancionero de Uppsala* (canción núm. 51) y en la *Orphenica Lira* de Miguel de Fuenllana (v. Leopoldo Querol, *La poesía del Cancionero de Uppsala,* tirada aparte de los *Anales de la Univ. de Valencia,* X, 74, pág. 109).

[143]. El tema aparece varias veces en el estudio de Menéndez Pidal, *La primitiva poesía lírica española,* en *Estudios Literarios* (segunda edición), Colección Austral, sobre todo, págs. 261 y sigs.

[144]. Alvarez Gato, *Obras,* ed. Artiles, Madrid, 1928, pág. 142.

[145]. *Nueva Bibl. de AA. EE.,* XIX, 15. Que era versión a lo divino de un tema profano lo sintió Menéndez Pelayo también (*Antol. de poet. lír. cast.,* VI, 209).

[146]. Cejador, VIII, 3198, quien dice tomarlo del *Romancero general.* En Lope le encuentro en forma parecida, también aplicado a lo divino (referido a la Virgen):

Si cuando niña has amor,
¿qué harás cuando mayor?

(*La limpieza no manchada*, ed. Academia, v. 409.)

[147]. *Bibl. AA. EE.*, XXXV, 459.

[148]. Reimpreso en la *Rev. Hispanique*, XXXIV, 1915. Desde la pág. 192 hasta la 210, y también *passim*, villancicos glosados o desarrollados a lo divino. No he podido ver la obra de la Hermana Mary Paulina St. Amour, *A study of the villancico up to Lope de Vega: its evolution from profane to sacred themes, and specifically to the Christmas carol*. Washington, 1940 (The Catholic University of America), reseñada por Pedro Henríquez Ureña, en *Rev. de Filol. Hisp.*, II, 75.

[149]. *Ib.*, pág. 192. Aparece a lo profano en el *Cancionero de Barbieri*, núm. 133, y en el *Cancionero general*, de 1511, núm. 659, en este a nombre de Garci Sánchez; también, anónimo, en el *Cancionero de Evora*, ed. Hardung, núm. 16.

[150]. *Rev. Hisp.*, XXXIV, 1915, pág. 250. Es el conocidísimo «Si la noche hace escura / y tan corto es el camino / ¿cómo no venís, amigo?», que aparece en el *Cancionero de Uppsala*, núm. 14, etc.

[151]. Lope de Vega, *Cancionero teatral*, ed. Robles Pazos, Baltimore, 1935, pág. 101. Muchos otros ejemplos de canciones populares a lo divino, se encontrarán en Henríquez Ureña, *La versificación irregular*, Madrid, 1933. *passim.*

[152]. *Bibl. AA. EE.*, LIII, 510.

[153]. Ed. González Palencia, *Biblióf. Esp.*, segunda época, IX, 26.

[154]. *Bibl. AA. EE.*, LIII, 510-511, y San Juan, *Obras*, IV, 320, donde el segundo verso es algo diferente.

[155]. Baruzi, 50, nota 2.

[156]. *Cancionero de Constantina*, núm. 178.

[157]. *Cancionero general*, núm. 180.

[158]. Timoneda, *Sarao de amor*, en Cejador, *La verdadera poesía castellana*, Madrid, 1921-1930, VI, número 2.622.

[159]. *Cancioneiro geral* de Resende, fols. 16 v. y 44 v. Comp. M. Pelayo, *Antología de poet. lír. cast.*, VII, páginas cxxxiii y cxxxviii. Para estos juegos entre «vivir» y

«morir» en el *Cancioneiro* de Resende, véase Jole Ruggieri, *Il Canzoniere di Resende,* Ginebra, 1931, pág. 139 y sigs. También en la mística musulmana se encuentran fórmulas semejantes. Abenarabi cita la siguiente estrofa de Alhalach, poeta místico de Bagdad:

¡Amigos míos, matadme,
que en mi muerte está mi vida!

(MIGUEL ASÍN PALACIOS: *El Islam cristianizado,* 248.)

160. La palabra *glosa,* a más de en su sentido estricto, era empleada en el siglo XVI en otro más amplio y general: «desenvolvimiento en estrofas de un tema inicial, del que al fin de cada estrofa se repiten uno o dos versos». En este sentido la emplearemos siempre.

161. Ya he señalado, pág. 25, que los preliminares nos llevan a 1579 y que el tamaño del libro parece indicar una labor de muchos años. El crecido número de poesías y lo grueso del volumen excitaron burlas contemporáneas. Cervantes (en el escrutinio de la librería de Don Quijote):

«—Este grande que aquí viene se intitula—dijo el Barbero—*Tesoro de varias poesías.*

»—Como ellas no fueran tantas—dijo el Cura—fueran más estimadas» (Parte primera, cap. VI). Malévolas alusiones al tamaño del libro y a su poco valor, hay en una poesía de Baltasar del Alcázar. (Véase Rodríguez Marín en nota a la pág. 288, tomo I, de su ed. del *Quijote,* año 1927.)

162. Pedro de Padilla, *Tesoro de varias poesías,* Madrid, 1580, fol. 149 v. Lleva allí el título de *Canción.* En este libro, interesante por varios conceptos, el sentimiento del amor profano está caracterizado por una posición extremamente idealista. La trayectoria española de este «no sé qué» no ofrece dudas. Es una de las expresiones más repetidas en Boscán: «se me ofrece / no sé qué, que no lo entiendo» (ed. Knapp, pág. 66). «Mil veces dije en mí no sé qué me he» (*Ib.,* pág. 225). Véanse sobre todo estos ejemplos: «Tengo en el alma puesto / su gesto tan hermoso / ... / el alegre reposo, / el no sé qué de no sé qué manera» (*Ib.,* pág. 242); «El andar, el mirar, el estar queda, / andaban en tal son, que descubrían / un cierto no sé qué tan admirable» (*Ib.,* pág. 294).

[163]. Véase ahora para «fonte» y cuestiones relacionadas, el artículo de Eugenio Asensio *«Fonte frida» o encuentro del romance con la canción de Mayo,* en el volumen *Poética y realidad en el cancionero peninsular de la Edad Media,* Madrid, 1957, págs. 241-277 y especialmente 259-261. Para el poema de San Juan de la Cruz véase más abajo nuestro comentario, pág. 169-170.

[164]. *Obras,* Lisboa, 1562, fols. 95 v. y 96.

[165]. *Cancionero,* 1496, fol. 95 v.

[165 a]. «Una posible fuente de San Juan de la Cruz», en *Rev. de Filología Española,* XXVIII, 1944, páginas 473-77. La *Floresta,* de Ramírez Pagán, comprende poesías que, según en el libro se indica, unas son de determinados poetas, otras del mismo Ramírez Pagán; pero hay otras de las que no se dice el autor, quedando la duda de si serán de Ramírez Pagán o no. A estas últimas, precisamente, pertenece la estudiada por López Estrada.

[166]. Véase más arriba, págs. 57 y 89.

[166 a]. Luis Venegas de Henestrosa, *Libro de cifra nueva para tecla, harpa y vihuela,* Alcalá, 1557, 73.

[167]. Véase en la selección de Marín Ocete, Granada, 1939, pág. 110. El tema se complica en las estrofas que omito. De esta composición ha hablado María Rosa Lida al estudiar bellamente el tema del «ciervo herido» que busca las aguas. (LIDA, 44, n. 3.) Claro está que no trato de arrancar la canción de Silvestre de la larga tradición donde María Rosa Lida con acierto la sitúa. Las tradiciones y los temas se injertan unos en otros.

[167 bis]. Véase ahora mi artículo *La caza de amor es de altanería (Sobre los precedentes de una poesía de San Juan de la Cruz),* en el *Bol. de la R. Acad. Esp.,* XXVI, 1947 (reproducido en *De los siglos oscuros al de oro,* Madrid, 1957, págs. 254-275) donde hago breve historia del tema y señalo una composición profana, del ms. 3168 de la Bibl. Nac., de la que el poema de San Juan de la Cruz parece ser mera versión a lo divino. El prodigio empieza ahí: la cancioncita, más bien insulsa, se ha convertido en uno de los poemas más bellos de la literatura española.

[168]. *Obras,* IV, 324, nota 3.

[169]. Tirso, *La ninfa del Cielo.* En CEJADOR, III, número 1960.

[170]. Juan Vázquez, *Villancicos y canciones,* 1551.

[171]. *El Caballero de Olmedo,* ed. de la Real Academia, X, 181.

[172]. *Cancionero de Barbieri,* núm. 92.

[173]. Menéndez Pelayo, *Las cantigas del Rey Sabio,* en *Est. y Disc. de Crít. Hist. y Lit.,* I, ed. Sánchez Reyes, Santander, 1941, pág. 167. ¡Lástima que don Juan Manuel, que es quien cuenta la historieta, no se acordara más que del estribillo! : «ficieron un cantar de que me non acuerdo si non del refrán». Menéndez Pidal, basado en el mismo cantarcillo, llega a decir: «el vulgo castellano, que cantaba en la lengua propia sus gestas heroicas, cantaba su lírica en una lengua extraña, aunque hermana gemela». *(La primitiva poesía lírica española,* en *Ests. Lits.,* ed. cit., 209-10.)

[174]. Podría compararse con la modificación del villancico «Si amores me han de matar». El villancico popular tenía solo dos versos; el Santo le antepone un tercero. V. más arriba, págs. 81-82.

[175]. V. Menéndez Pidal, *Estudios literarios,* ed. citada, 231-232. El cantarcillo tiene gran antigüedad: es citado por don Lucas de Tuy.

[176]. Gil Vicente, *Obras,* 1562, fol. 217.

[177]. Montemayor, *Cancionero,* ed. González Palencia, pág. 402.

[178]. Correas, *Vocabulario de refranes,* Madrid, 1924, 322.

[179]. Correas, *Vocabulario de refranes,* págs. 311, 171. Son numerosísimos los refranes pertenecientes a este tipo de tres asonancias. Las relaciones entre refrán y canción popular bien merecen un estudio.

[180]. En el prólogo al *Cancionero popular gallego* de Pérez Ballesteros, Madrid, 1885, pág. XXV; se repite con las mismas palabras en *Hist. da poesia popular portugueza. As origens,* Lisboa, 1902, páginas 182-3. El texto de esta composición, tal como aparece citado por Braga, procede de *Todas las poesías de San Juan de la Cruz y de Santa Teresa,* ed. W. Storck, Münster, 1854, pág. 31. Storck publicó al mismo tiempo otra edición con la traducción alemana de las poesías y con un estudio preliminar. (Los datos relativos a la ed. de Storck los debo a la amabilidad de Enrique Sánchez Reyes, director de la Bibl. Menéndez Pelayo, de Santander. Véase nuestro apéndice a las notas más abajo, pág. 222.)

[181]. *Cancioneiro da Ajuda,* II, págs. 58 y 928, n. 2.

[182]. *La versificación española irregular,* 1933, página 131. Las dos estrofas que cita no proceden de la *Bibl. de AA. EE.,* XXVII, como se dice en nota, sino del texto que Braga tomó de Storck. A Ureña le interesa sobre todo perseguir el metro de seguidilla, pero admite en nota, de pasada, la filiación gallegoportuguesa.

[183]. *Hist. de la Lit. Esp.,* Barcelona, 1937, I, 582. No necesito decir que la rectificación que más adelante hago en el texto, de un pormenor de la obra de Valbuena, en nada amengua mi aprecio de este libro, que representa un avance en nuestra crítica literaria. (Valbuena ha rectificado en ediciones posteriores algunos de sus puntos de vista.)

[184]. LIDA, 46, n. 1.

[185]. Téngase en cuenta lo dicho al fin de la nota 183.

[186]. Ed. del P. Gerardo, III, 172. Sin embargo, en esa misma ed. (III, 142) resulta bien evidente la coincidencia de los mejores textos en no dar esa estrofa. La conclusión del P. Gerardo, que termina por incluir la estrofa, es absurda. Pero aun así, lo más que el editor osa llegar a pensar es que fuera añadida por el poeta «en los últimos años de su vida». Admitámoslo, por un momento: siempre resultaría que esta estrofa—añadida por quien fuera—no pertenece al original texto, no está ligada a la concepción primera de la poesía, no puede darnos indicios de un cordón umbilical. Por otra parte, la crítica de los textos de San Juan de la Cruz ha avanzado algo desde el P. Gerardo. El P. Silverio *(Obras,* IV, 324) excluye la estrofa.

[187]. Códices de Sanlúcar y Jaén, edición de Bruselas, 1627.

[188]. Claro está que no siendo de recibo la estrofa en que aparece la «fontefrida», no hay causa para la comparación con el núm. 797 del *Cancioneiro da Vaticana,* que intenta María Rosa Lida, pág. 46, n. 1.

[189]. *From «Cantigas de amigo» to «Cantigas de amor» (Rev. de Littérature Comparée,* núm. 69, enero-marzo 1938, págs. 137 y sigs.) Véanse, si no, las condiciones, según doña Carolina, *Cancioneiro da Ajuda,* II, 924-927.

[190]. Las dos composiciones con tema inicial que citan entre doña Carolina Michaëlis y Nunes *(Cancioneiro da Ajuda,* II, 925, n. 1, y *Cantigas d'Amigo,* I, 430) son, la

una *(Canc. da Ajuda,* núm. 198) un típico zéjel, la otra *(Canc. da Vaticana,* núm. 240) muy próxima al zéjel. No hacen, por tanto, al caso.

[191]. Comp. en mi *Antología de la poesía medieval,* núms. 22, 115, 157, 166. Lo mismo, en Gil Vicente. Véase ahora para toda esta cuestión Eugenio Asensio, *Los cantares paralelísticos castellanos,* en su libro *Poética y realidad en el cancionero peninsular de la Edad Media,* Madrid, 1957, págs. 181-224.

[192]. Comp. M. Pidal, *La primitiva poesía lírica española* en *Ests. Lits.,* ed. cit., pág. 260.

[192 a]. He corregido en este lugar de mi libro el error que cometí en la edición primera. La historia de esa equivocación y su rectificación pormenorizada constan en mi artículo «Sobre el texto de *Aunque es de noche*», publicado en la *Revista de Filología Española,* 1942, XXVI, págs. 490-94. Tal vez pueda interesar a algún lector más curioso: lo reproduzco como apéndice al fin de las notas, págs. 222 y sigs.

[193]. V. más arriba, pág. 81.

[193 a]. *Egloga* 2.ª, versos 506-8.

[194]. *Entremeses del siglo XVII,* II, 484.

[195]. En mss. de la Bibl. Nacional, según CEJADOR, IV, núms. 2155 y 2163.

[196]. La comparación entre una traducción directa del hebreo, como la de fray Luis de León, el texto de la *Vulgata* y los pasajes correspondientes en el *Cántico espiritual* de San Juan de la Cruz, no puede dejar lugar a dudas. He aquí unos ejemplos:

Vulgata, Cantar de los Cantares, IV, 9:

> Vulnerasti cor meum, soror mea sponsa, vulnerasti cor meum in uno oculorum tuorum et in uno crine colli tui.

Traducción (texto del P. Scio):

> Llagaste mi corazón, hermana mía Esposa, llagaste mi corazón con el uno de tus ojos y con la una trenza de tu cuello.

Cántico espiritual, estr. 22:

> En solo aquel cabello
> que en mi cuello volar consideraste,
> mirástele en mi cuello
> y en él preso quedaste,
> y en uno de mis ojos te llagaste.

Nótense las divergencias en la traducción de fray Luis (ed. Jorge Guillén, col. «Primavera y Flor», Madrid, 1935, pág. 32):

> Robaste mi corazón, hermana mía Esposa, robaste mi corazón con uno de los tus ojos, con un sartal de tu cuello.

Otro pasaje: *Vulgata,* VI, 4:

> Averte oculos tuos a me, quia ipsi me avolare fecerunt.

Traducción (texto del P. Scio):

> Aparta de mí tus ojos, porque ellos me hicieron volar.

Cántico espiritual, estr. 12:

> Apártalos [los ojos], Amado,
> que voy de vuelo.

Traducción de fray Luis (pág. 36):

> Vuelve los ojos tuyos, que me hacen fuerza.

Frente a estos y otros pasajes que se podrían aducir, hay alguno en que la interpretación de San Juan de la Cruz se aparta de la *Vulgata,* aproximándose a las versiones directas. Así la estr. 15 del *Cántico* no cabe duda que corresponde al *Cantar,* III, 9-10. La semejanza está oscurecida por la palabra *ferculum* «litera» de la *Vulgata.* Mas las versiones directas y los comentaristas coinciden en que el sentido de la palabra hebrea es *tálamo.* Sustituyendo esta palabra en el texto de la *Vulgata,* la correspondencia con la estrofa de San Juan resulta evidente. (Pero el primer verso de esa estrofa «Nuestro lecho florido», se enlaza también directamente en otro pasaje del *Cantar,* «Lectulus noster floridus», I, 15.) Baruzi ha estudiado *Le problème des citations scripturaires en langue latine dans l'œuvre de Saint-Jean de la Croix* (en *Bulletin Hispanique,* XXIV, 1922). También él comprueba que el texto que usa el Santo es el de la *Vulgata* (pág. 21); sin embargo, alguna vez deja San Juan traslucir que conocía otra traducción (pág. 23). Mis afirmaciones se refieren solo al texto poético del *Cántico.*

[197]. En Baptista Montidea, *Cancionero llamado billete de amor,* según CEJADOR, III, núm. 1.824.

[198]. En *Laberinto amoroso,* Barcelona, 1618, según CEJADOR, VIII, núm. 3.097.

[199]. Salinas, *De musica libri septem,* Salamanca, 1577, 325. Para el tema popular de la «morenica», comp. Henríquez Ureña, *La versificación irregular,* Madrid, 1933, 196, n. 3, e «Indice alfabético», sub *moreno.*

[200]. Más arriba, pág. 105.

[201]. V. más arriba, pág. 29.

[202]. IV, 9.

[203]. Biblioteca Nacional, ms. 3915, fol. 70 v.

[204]. Estrs. 2, 20, 17, 35, 38.

[205]. Estrs. 23, 32.

[206]. Estr. 21.

[207]. Cuando el barroquismo quiere establecer nexos entre las dos direcciones, el resultado es completamente distinto y surge el desequilibrio brutal de lo grotesco. Este es el sentido, por ejemplo, de la *Fábula de Píramo y Tisbe,* de Góngora. (Comp. *La lengua poética de Góngora,* 2.ª impresión, Madrid, 1950, págs. 16-18.)

[208]. V. *La traducción del «Enchiridion»,* en la ed. de esta obra de Erasmo, Madrid, 1932, pág. 488.

[209]. Estr. 28.

[210]. VIII, 5.

[211]. Estr. 26.

[212]. IV, 16.

[213]. II, 16; VI, 1-2.

[214]. *Obras,* II, 6.

[215]. *Obras,* IV, 97.

[216]. *Obras,* IV, 102.

[217]. La *Subida del Monte Carmelo* dedica al comentario de la primera estrofa del poema de la *Noche* («noche del sentido») los quince capítulos del *Libro primero (Obras,* II, 12-65), de ellos solo los I, II, XIV y XV van ceñidos al texto lírico. Los libros *segundo* (treinta y dos capítulos) y *tercero* (cuarenta y cinco capítulos) se refieren a la «noche del espíritu» (segunda estrofa) *(Obras,* II, 66-358); la interpretación próxima de la estrofa solo se da en el cap. I del *Libro segundo (Obras,* II, 66-68). La *Noche oscura del alma,* dedica a la primera estrofa (como «noche del sentido») su primer libro (catorce capítulos; *Obras,* II, 364-413), pero los primeros capítulos, hasta el octavo exclusive, forman una larga digresión (págs. 365-386). En los catorce primeros capítulos del libro II (págs. 414-468) vuelve a comentarse la estrofa primera, entendida ahora como «noche espiritual». Los caps. del XV al XXIV (pá-

ginas 468-509) se dedican al comentario de la estrofa segunda. La estrofa tercera se comienza a declarar en el cap. XXV (pág. 509). Pero aquí, pág. 510, se interrumpe el escrito. La extraña composición de estos comentarios plantea delicados problemas. A veces se pensaría que la *Subida del Monte Carmelo* es un tratado doctrinal nacido independientemente del poema (aunque sobre su mismo símbolo) y torpemente adaptado luego al texto poemático.

218. No se objete que en la misma *Subida del Monte Carmelo* hay todo un capítulo «En que se declara qué cosa sea unión con Dios» (cap. IV, del Libro segundo; *Obras,* II, 79-85). Se explican en él y se analizan las diferentes clases de «unión», como aclaración previa para que el lector sepa de qué «unión» va a tratar; pero tales distingos ¡qué poco dicen de la esencia misma por cuyos aledaños de continuo se anda! Comprendiéndolo así, pasa del lenguaje conceptual al metafórico, y sobreviene la alegoría de la «vidriera» (pág. 83). He aquí, pues, la oscilación entre exposición científica y exposición alegórica que encontraremos siempre en los comentarios. Un tercer grado es el poema, y el más próximo al velado misterio. A él se acercan algo los más poéticos comentarios: los de la *Llama.* La doble negación «ni ciencia» «ni experiencia», llena de un interno dramatismo toda la obra del Santo.

219. Baruzi, 11-15. El P. Silverio supone acabadas estas obras, de las que habríamos perdido los finales (*Obras,* I, 268 y 274-275).

220. Véase las páginas que D. Miguel Asín ha dedicado a este tema en *El Islam cristianizado,* 245-7.

221. V. más arriba, págs. 115-116.

222. VIII, 6. A la imagen del fuego iban a concurrir otros muchos elementos: la tradición mística (comp. *Obras,* II, 491, donde como «nono grado» de la escala secreta «según San Bernardo y Santo Tomás», y último posible en la vida, se da el fuego en el que los perfectos «arden ya en Dios suavemente»; véase también Etchegoyen, página 232 y sigs.); y—como ya vimos—la tradición poética del amor humano, en su versión a lo divino (v. más arriba, págs. 65-67). Recuérdese asimismo la fuerte impregnación garcilasesca de todo el poema (ya discutida, pág. 27). Es un ejemplo, entre muchos, de cuán poderosamente integra

San Juan de la Cruz diversas tradiciones, múltiples influencias.

[223]. III, 1-2.

[224]. Téngase presente lo dicho más arriba acerca de los precedentes del símbolo de la «noche» encontrados por don Miguel Asín en la mística musulmana, pero, reconocidas las semejanzas, aún media un enorme intervalo entre los comentarios de Aben Abad y la profundidad y el perfecto desarrollo del concepto de la «noche» de San Juan de la Cruz. El mismo señor Asín lo dice: «...el «aprieto» o *qabd* no tiene explícitamente para los sadilíes todo el contenido complejo y sistemático que el análisis revela en la «noche oscura» de San Juan de la Cruz...» *(Huellas del Islam,* 261).

[225]. Me refiero a declaraciones como la de la estrofa 29 *(Obras,* III, 138), en las que no puedo creer que el sentido concreto de los comentarios estuviese presente en la imaginación del poeta en trance creativo: a ese primer momento de impulso, de alusiva vaguedad lírica, ha sucedido luego la paciente labor del intérprete de sí mismo. Aun esta labor es admirable, y, fuera de ella, considerados en sí mismos, los comentarios del *Cántico* tienen muchos pasajes de gran belleza y tersura.

[226]. De ello trataremos más adelante, págs. 169-170.

[227]. VIII, 9.

[228]. Más arriba, pág. 114.

[229]. Más arriba, págs. 54-56.

[230]. Más arriba, págs. 115-122.

[231]. Desarrollar esta idea equivaldría a plantear el problema de la noción «historia de la literatura» (e «historia del arte») frente a «historia».

[232]. La fama de San Juan de la Cruz crece durante el siglo XIX. A mediados del siglo el prologuista del tomo XXVII de la *Bibl. de AA. EE.* ya se expresa en términos de la mayor admiración. Pero es sobre todo la gran autoridad de Menéndez Pelayo lo que influye en colocar en excelso puesto la poesía de San Juan de la Cruz dentro de la lírica española.

[233]. Garcilaso, *Canción 2.ª*

[234]. V. más arriba, págs. 96-104.

[235]. *Cántico,* estr. 37.

[236]. *Profecía del Tajo.*

[237]. *Cántico espiritual,* estr. 34.

[238]. «Va el Esposo prosiguiendo y dando a entender el contento que tiene de la soledad que antes que llegase el alma a esta unión sentía, y el que le da la soledad que de todas las fatigas y trabajos e impedimentos ahora tiene, habiendo hecho quieto y sabroso asiento en su Amado...; y también muestra holgarse de que esa soledad que ya tiene el alma haya sido disposición para que el alma sea ya de veras guiada y movida por el Esposo, la cual antes no podía ser, por no haber ella puesto su nido en soledad, esto es, alcanzado hábito perfecto y quietud de soledad, en la cual es ya movida y guiada a las cosas divinas del Espíritu de Dios. Y no solo dice que él ya la guía en esa soledad, sino que a solas lo hace él mismo, comunicándose a ella sin otros medios de ángeles ni de hombres, ni figuras ni formas, estando él también, como ella está enamorada de él, herido de amor de ella en esta soledad y libertad de espíritu, que por medio de la dicha soledad tiene, porque ama él mucho la soledad...» *(Obras,* III, 154-155). Para el sentido de la soledad en nuestro poeta, v. K. Vossler, *La soledad en la poesía española,* Madrid [1941], páginas 225 y sigs.

[239]. V. más arriba, página 27. Del estilo exclamativo de la *Llama,* y de su empleo consciente en los comentarios de la misma, hemos de hablar después, págs. 162-164.

[240]. Es este *(Noche,* estr. 3):

sino la que en el corazón ardía...

Es un verso indudablemente débil, si no se fuerza un acento sobre *que* (si así se hace resulta de 4.ª y 8.ª). (En ediciones anteriores juzgaba de dudosa acentuación el verso «calor y luz dan junto a su querido», *Llama,* estr. 3. Cometía un grosero error de interpretación: en ese verso *junto* es adverbio, «juntamente»; ya, pues, acentuado en 6.ª sílaba, si bien el choque de acentos «lúz-dán-jún» le hace poco afortunado.)

[241]. *Noche,* estrs. 6 y 8; *Cántico,* estrs. 14 y 36.

[242]. V. págs. 134-136.

[243]. La función estética de la sinalefa y de su no empleo es cuestión para discutida aparte.

[244]. *Cántico,* estr. 11; *Llama,* estr. 1.

[245]. Los tratadistas suelen considerar como de seis sílabas este primer hemistiquio (más propiamente cuasi-hemistiquio).

[246]. *Cántico,* estrs. 5 y 13; *Noche,* estr. 1.
[247]. *Cántico,* estr. 7.
[248]. *Llama,* estr. 1; *Cántico,* estr. 29.
[249]. *Lengua poética de Góngora,* Madrid, 1935, páginas 189 y sigs.
[250]. *Cántico, estrs.* 37 y 7; el cuarto ejemplo, de una poesía menor, estudiado ya más arriba, págs. 88 y sigs.
[251]. *Cántico,* estr. 8.
[252]. Véase el comentario a esa estrofa, en las *Obras,* III, 42-44.
[253]. Todos estos ejemplos proceden de la *Llama,* estrofas 1 y 2; del *Cántico,* estrs. 8 y 20; y de poesías menores que empiezan: *Vivo, sin vivir en mí, Entréme donde no supe* y *Tras un amoroso lance.* Contrastes análogos en Santa Teresa (comp. M. Pidal, *La lengua de Cristóbal Colón ... y otros estudios ...* [Madrid, 1942], páginas 154-155: «La expresión «no entender entendiendo» que ocurre en las coplas de *Entréme donde no supe,* procede de Santa Teresa»). Para el contraste *perder-ganar,* comp. «¿No tienes tú conocido / por tormento tan honrado / que es ganado el que es perdido?», Boscán.
[254]. Comp. Baruzi, 299.
[255]. V. más arriba, pág. 109-110.
[256]. Del *Cántico,* estrs. 20, 2, 23, 32; *manida,* en las coplas de *Aunque es de noche.*
[257]. *Cántico,* estrs. 1, 39, 36, 33; *Noche,* estrofas 6, 7 y 8.
[258]. *Cántico,* estrs. 12, 19, 13, 33, 16, 38.
[259]. Coplas *Aunque es de noche.* V. más arriba, páginas 96-104.
[260]. *Llama,* estr. 1.
[261]. Poema del *Pastorcico; Cántico,* estrs. 33 y 32: romance *Encima de las corrientes.* Más frecuentes son los diminutivos en Santa Teresa. Compárese M. Pidal, en *La lengua de Cristóbal Colón ... y otros estudios,* 155-157.
[262]. *Cántico,* estr. 1.
[263]. *Cántico,* estr. 29.
[264]. *Cántico,* estr. 2.
[265]. *Obras,* III, 24.
[266]. *Noche,* estr. 5.
[267]. *Cántico,* estrs. 29-30.
[268]. Datos. Garcilaso, *Flor de Gnido,* 22 liras: adjetivos antepuestos, 27; pospuestos, 18; total de adjetivos,

45. San Juan de la Cruz, *Cántico,* 22 primeras liras: adjetivos antepuestos, 4; adjetivos pospuestos, 15; total de adjetivos, 19. Resultado para la totalidad del *Cántico,* 39 liras; adjetivos antepuestos, 10; adjetivos pospuestos, 26; total de adjetivos, 36. Calculo ahora la proporción de adjetivos por verso: *Flor de Gnido:* 0,409; Cántico (22 primeras estrs.), 0,173; *Cántico* (todas las estrs.), 0,185. Los poemas de la *Noche* y de la *Llama,* por su gran brevedad, no pueden proporcionar datos útiles: Proporción por verso: *Noche,* 0,25; *Llama,* 0,375. El único poema de San Juan de la Cruz que, aunque por bajo, se aproxima en la proporción de adjetivos a la de Garcilaso de la Vega es el de la *Llama.* Ahora bien: está comprobada (véase más arriba, págs. 27 y 30-32) la fuerte huella garcilasesca sobre este poema. La investigación de tipo matemático nos lo confirma ahora. (No he considerado como adjetivos ni en los ejemplos de San Juan ni en el de Garcilaso, los participios en que se entrevé una acción verbal: San Juan de la Cruz, *de flores esmaltado,* estr. 4; Garcilaso, *atados,* v. 19; *tendido,* v. 87, etc.)

269. Todo lo más puede haber duda respecto a *esmaltado,* estr. 4. Véase la nota anterior.

270. *Cántico,* estr. 3.

271. En mi conferencia *La musa de Garcilaso (Homenaje a doña Isabel Freire)* pronunciada en diversos sitios en 1941 y 1942.

272. *Flor de Gnido,* versos 6-15.

273. No se olviden los testimonios según los cuales las canciones de la *Noche* habrían sido compuestas en la cárcel de Toledo. Recuérdese lo dicho por nosotros en nota 10 y pág. 22. La *Llama* se atribuye al período posterior de Granada. Pero los testigos deponen confusamente: es difícil a veces saber si se refieren solo a los comentarios o también al poema (OBRAS, I, 140-141). Lo único que se puede afirmar es que el *Cántico* en sus treinta primeras estrofas se escribió en Toledo; que allí o más probablemente en época posterior compuso la *Noche;* que la *Llama* es más tardía; y que es casi indudable que no poseemos ningún escrito anterior a los meses de Toledo (1578).

274. Más arriba, págs. 43-45.

275. Véase el ensayo *Claridad y belleza de las Soledades* al frente de mi ed. de las *Soledades* de Góngora y aho-

ra recogido en *Estudios y Ensayos gongorinos,* Ed. Gredos, Madrid, 1955.

[276]. Así lo entendía fray Luis de León: «Ya dije que todo este libro es una égloga pastoril en que dos enamorados, Esposo y Esposa, a manera de pastores, se hablan y se responden a veces.» *(Cantar de Cantares,* ed. de Jorge Guillén, 45; *B. AA. EE.* XXXVII, 250).

[277]. Más arriba, pág. 133.

[278]. Para el problema de la «descripción del tálamo», nota 196.

[279]. Estrs. 29-30.

[280]. *Obras,* III, 139-140.

[281]. Creo que la *Noche* en el mismo momento de su creación lírica estaba cercanamente pautada por el disciplinado pensamiento que se desarrolla en los comentarios *(Subida del Monte Carmelo* y *Noche oscura del alma.)*

[282]. Tiene razón que le sobra Pfandl al indignarse con quienes consideran la poesía de San Juan de la Cruz como un fenómeno erótico humano *(Historia de la literatura nacional española en la edad de oro,* trad. de Rubió Balaguer, Barcelona, 1933, 161-162).

[283]. Gradación también puede encontrarse en el mismo *Cantar de los Cantares.* Pero mucho más sencilla, clara y evidente es la del *Cántico espiritual.*

[284]. BARUZI, 25-26. El mismo Baruzi, 26-27, prueba cuán torpes son a veces las soldaduras de los comentarios del *Cántico* según la ordenación de Jaén: en la serie de dislocaciones llevadas a cabo, las piezas dislocadas no se han unido bien a sus nuevas vecinas; insalvables quiebras o fallas son testigos del trastrueque. Ha mostrado asimismo (págs. 27-32) las desventajas literarias del texto de Jaén por lo que a los mismos comentarios se refiere. Creo, sin embargo, que el punto central de nuestra atención, al comparar los dos órdenes, debe ser el poema. No era mi propósito una comparación estricta entre las dos redacciones. Lo que digo en la exposición que sigue me parece suficiente para probar que desde un punto de vista estético el orden del ms. de Sanlúcar es incambiable.

Véase ahora el artículo del P. Vega citado aquí arriba en la nota 81 (pág. 194).

[285]. V. más arriba, págs. 140-141. Para la gradación mística en el *Cántico,* véase *Obras,* III, 131-132 (redacción

del ms. de Sanlúcar; compárese la redacción del ms. de Jaén, *Obras,* III, 319-321).

286. Estrs. 4 y 5.

287. Es lo que empieza a expresar la estr. que después de la 10 figura en los que Dom Chevallier llama «segundo» y «tercer» estado del poema (pero que no existe ni en el ms. de Sanlúcar ni en la ed. de Bruselas, 1627):

> Descubre tu presencia
> y máteme tu vista y hermosura;
> mira que la dolencia
> de amor, que no se cura
> sino con la presencia y la figura.

(Comp. Dom Chevallier, *Le cantique spirituel,* 1930, páginas LXXXIX y 84.) La estrofa es digna de San Juan de la Cruz. Algún formalista corrigió «no bien se cura»; de este modo se lee en algunos textos.

288. Estr. 11.

289. Más ariba, págs. 140-141.

290. Estrs. 13-14.

291. Estr. 26.

292. Estr. 27.

293. La claridad de esta traza, enturbiada en la segunda redacción, creo que puede ser un argumento más en favor del texto de Sanlúcar. Otros argumentos, muchos de ellos convincentes, en BARUZI, 16-32. Voy en esto más lejos que el crítico francés: la segunda ordenación del poema, comparada con la primera desde el punto de vista estético, me parece una verdadera catástrofe.

294. Estrs. 29-30.

295. Estr. 31.

296. Que esta última unión no puede tener lugar en vida mortal resulta claro en los comentarios según el manuscrito de Jaén *(Obras,* III, 393 y sigs.). Pero todas las frases que contienen explícitamente este sentido faltan en el manuscrito de Sanlúcar *(Obras,* III, 157 y sigs.). Baruzi ha observado que esta misma divergencia se da en otros pasajes de uno y otro texto (BARUZI, 32).

297. Estrs. 35 y 36.

298. Y en el significado de los comentarios, la aspiración amorosa del Espíritu Santo y su efecto jubiloso en el alma, el conocimiento de las criaturas y su orden, la pura y subida contemplación *(Obras,* III, 170).

299. Estr. 38.

[300]. Comp. *Cantar de los Cantares,* VI, 11.

[301]. Estos descensos anticlimáticos son muy de la técnica de Horacio, y en él los había bebido fray Luis de León. (Comp. mi artículo *Fray Luis de León y la poesía renacentista,* en *Rev. de la Universidad de la Habana,* 15, nov.-dic. 1937, y ahora en *De los siglos oscuros al de oro,* Madrid, 1957, págs. 236-243. Comp. D. Alonso, *Poesía española. Ensayo de métodos y límites estilísticos,* 3.ª ed., Madrid, 1957, págs. 149-154.

[302]. Estr. 39.

[303]. BARUZI se plantea el problema del pensamiento simbólico desde un doble punto de vista, estético y metafísico (pág. 323). A mí, ahora, me interesa solo el primer aspecto. Es la zona en la que voluntariamente me he limitado.

[304]. BARUZI, 323-337. Resumen en la pág. 337.

[305]. Más arriba, págs. 118-122.

[306]. Aunque menos radical y nueva que la parte propiamente simbólica de la *Noche.* Comp. BARUZI, 339. Añadiré que las imágenes en que el símbolo se resuelve, tienen una larga tradición en los cancioneros, sobre todo desde el momento en que en ellos se infunde el petrarquismo. Así es evidente en la obra de Boscán. Para el influjo sobre la *Llama* del Boscán a lo divino, véase más arriba, páginas 65-67.

[307]. Más arriba, págs. 119-120. Debía haber indicado entonces que esas dos partes han sido ya vistas por BARUZI, 339.

[308]. Sean o no una sola obra. V. más arriba, nota 10.

[309]. *Obras,* III, 157 y sigs.

[310]. *Obras,* IV, 8.

[311]. *Obras,* IV, 3.

[312]. *Obras,* IV, 102.

[313]. V. más arriba, págs. 161-166.

[314]. V. más arriba, págs. 118-119.

[315]. «Y recordando / ambos como de sueño», Garcilaso, *Egl. 1.ª;* BARUZI, 337-338.

[316]. V. más arriba, págs. 119-120.

[317]. V. más arriba, págs. 140-142.

[318]. *Cantar de los Cantares: almenas, cedro,* VIII, 9; azucenas *(lirios),* VI, 2, etc. El pasaje de la «almena» procede, como vimos, págs. 54-56, de Sebastián de Córdoba: es, pues, un caso más de la colaboración de influjos di-

versos. El versículo bíblico no tiene más coincidencia que la de la palabra *almenas (propugnacula)*. La observación acerca de este cambio que existe a partir de la estrofa VI de la *Noche,* pertenece a BARUZI, 339.

[319]. Otra vez el sentido del saber terminar, con un apagamiento de la voz, para que la estela interior continúe. Arte clásico, horaciano, que supo también fray Luis. Comp. más arriba, nota 301.

[320]. V. más arriba, págs. 95-104.

[321]. V. más arriba, pág. 22.

[322]. Comp. más arriba, pág. 60.

[323]. Comp. más arriba, págs. 132-133.

[324]. *Obras,* IV, 6.

[325]. Más arriba, págs. 90 y sigs.

[326]. Más arriba, págs. 90 y sigs.

[327]. Véase más arriba, págs. 117-118. Seudosímbolo llama BARUZI (pág. 329) a la alegoría amorosa.

[328]. «Ad pulchritudinem tria requiruntur: Prima quidem integritas, sive perfectio: quae enim diminuta sunt, hac ipso turpia sunt; et debita proportio, sive consonantia; et iterum claritas» *(Summa Theologica,* 1.ª quaestio 39, art. 8, 5). Es la proposición sobre la que basa todo su sistema estético el laberíntico Stephen Dedalus.

[329]. Entre una larga serie de críticas bondadosísimas que suscitó este libro quiero resaltar dos, y recomendarlas muy especialmente al lector. El P. Emeterio G. Setién de Jesús María publicó un libro de casi cuatrocientas páginas que lleva por título *Las raíces de la poesía sanjuanista y Dámaso Alonso* (Burgos, 1950). Todo el libro estaba dedicado a demostrar por medio de «argumentos extrínsecos» e «intrínsecos», que San Juan de la Cruz no debe nada ni a Garcilaso, ni al Garcilaso a lo divino de Sebastián de Córdoba. Yo no me había visto nunca en el título de un libro—y tan largo y denso, y, con tanto argumento «intrínseco» y «extrínseco»—y estoy lleno de orgullo, y muy agradecido al P. Emeterio, que, además, escribe con mucho entusiasmo y muy bien y por una tesis muy bella: San Juan de la Cruz no debe nada a nadie; todo es misterioso en su poesía. Lo malo es que el P. Emeterio olvida cuán sencillamente y sin necesidad de una complicada argumentación se puede demostrar lo contrario: porque los endecasílabos, los acentos, la rima, la estrofa, etc., todo lo debe a tradiciones conocidas... El Santo mismo lo decía: que unas

cosas (de sus escritos) se las daba Dios y otras se las buscaba él. ¡Y vaya si se las buscaba! En los años últimos han sido especialmente desmentidas las afirmaciones del P. Emeterio, cuando se ha visto que hay dos poemas del Santo (el *Pastorcico* y el que empieza «Tras de un amoroso lance») que son meras versiones a lo divino de dos poesías profanas (una de ellas ha llegado a nosotros, como profana, en nada menos que tres manuscritos). Dicho sea esto, con la profunda simpatía y respeto que me merece el libro del P. Emeterio en el que hay muchas observaciones valiosas.

Por su parte, el difunto Peers criticó también mis ideas acerca de las fuentes de San Juan de la Cruz en un artículo de la *Hispanic Review* (XXI, 1953, págs. 1-19 y 93-106). Después de someter a revisión mis afirmaciones, Peers se vio obligado a confesar que, de los ejemplos de Garcilaso comparados por mí con otros de San Juan de la Cruz, uno es decisivo, y seis, posibles (pág. 103). La imitación es, pues, cierta. En cuanto a la imitación de Sebastián de Córdoba, Peers reconoce que San Juan de la Cruz había leído el Garcilaso a lo divino, que conocía (por lo menos) un poema de ese libro y que había tomado dicho poema como modelo métrico (pág. 104). Con esas afirmaciones me basta: la imitación existe, pues. El señor Peers creía que yo exagero la influencia de Córdoba. ¡Qué le vamos a hacer! : ocurre que San Juan de la Cruz tuvo el libro de Córdoba en las manos, imitó la estrofa de un poema de Córdoba, y cuando luego en la poesía del Santo encontramos una serie de temas, pasajes, etc., que se parecen a otros de Córdoba, ¿qué remedio sino pensar que vienen del Garcilaso a lo divino? (Para otro artículo de Peers—q. e. p. d.— véase más arriba, final de la nota 81).

APENDICE A LAS NOTAS

SOBRE EL TEXTO DE «AUNQUE ES DE NOCHE»

Al hablar en la primera edición de mi libro *La poesía de San Juan de la Cruz* [1] de la composición que comienza «Que bien sé yo la fonte que mana y corre», observé que el texto citado por Teófilo Braga, y últimamente por Henríquez Ureña, presenta dos versos:

> (Aquella eterna fonte *que* está escondida...
> y que cielos y tierra beben *en* ella...)

que difieren de la lección habitual:

> Aquella eterna fonte está escondida...
> y que cielos y tierra beben della...

Braga se apoya, a lo que parece, en Storck; y yo creí que se trataría de error cometido por el editor alemán. No tenía a mano las dos ediciones (la una en alemán y la otra en español) de Storck, que solo el verano de 1942

[1]. Madrid, 1942, págs. 129-30.

me fue posible consultar en la Biblioteca Menéndez Pelayo, de Santander. Entonces vi que Storck[1] cita como fuente suya la traducción latina de las obras del Santo, impresa en Colonia en 1639. No la he encontrado en las bibliotecas que he podido visitar. Sí la traducción latina, impresa en la misma Colonia en 1710[2], que supongo debe ser mera reimpresión de la de 1639.

La edición latina de 1710, e hipotéticamente la de 1639, parecen basadas en la madrileña de 1630[3]. Todas las «aprobaciones» de «Madrid, 1630» figuran en «Colonia, 1710». El «Compendium vitae beati Patris Joannis a Cruce», que sigue a las aprobaciones en la edición latina, se ajusta en líneas generales al «Dibujo» por fray Jerónimo de San José, de la madrileña, del cual parece una traducción algo condensada. Siguen luego en ambas la *Subida,* la *Noche,* la *Llama* y el *Cántico.* La edición latina va dando también en español el texto poético de las estrofas comentadas: este coincide, aun para el *Cántico,* con el de «Madrid, 1630»[4].

Solo hasta aquí llegan las coincidencias; porque a continuación figuran en la edición latina unos «Spiritualia Opuscula hactenus nondum impressa», que comprenden: «Cautelae spirituales»; «Sententiarium spirituale»; «Epistolae spirituales»... Y, al fin, como formando aún parte de los «Opuscula» y, nótese bien, solo en castellano: «Coplas» («Entréme donde»...; «Vivo sin vivir»...; «Tras de un amoroso»...; «Un pastorcico solo»...; «Que bien sé yo la fuente *(sic)*»...; «Romances»: «En el principio»..., «En aquel amor»..., «Una esposa»..., «Hágase, pues»..., «Con esta buena»..., «En aquestos y otros»..., «Ya que el tiempo era llegado»..., «Entonces llamó»..., «Ya que era llegado el tiempo»..., «Encima de las corrientes»).

---

[1] *Sämmtliche Gedichte des H. Johannes vom Kreuze und des heiligen Theresia von Jesus,* págs. XI-XII. Como veremos en seguida, la traducción latina contiene también el texto español de las poesías del Santo.

[2] *Opera mystica V. ac mystici doctoris B. Joannis a Cruce... Ex Hispanico Idiomate in Latinum nunc primum translata per R. P. F. Andream a Jesu Polonum... Coloniae Agripinae... Anno M. DCC. X* (Bibl. Nac., 3-55184). El P. Gerardo (ed. crít., I, página LXXIII) cita una ed. latina de 1622 (?).

[3] *Obras.* Madrid, 1630 (Bibl. Nac. U-8031 y U-6966).

[4] El mismo orden en ambas ediciones; las dos incluyen la estrofa «Descubre tu presencia...»

Ahora bien, no es cierto que estas poesías menores se imprimieran por primera vez en la traducción latina. Atendamos a la composición de la *Declaración de las Canciones,* impresa en Bruselas en 1627 [1].

Al final de esta edición bruselense del *Cántico,* después de la página 312 (numerada, por error, 302), hay catorce hojas sin numerar, que contienen: 1.º) Los dos poemas mayores *(Noche y Llama),* no comentados en el volumen. 2.º) Los poemas menores: las mismas coplas y en el mismo orden que luego han de figurar en «Colonia, 1710».

Parece, pues, que para las «Coplas» la edición latina de 1639 (que, repito, solo conozco a través de la de 1710) tuvo como base a «Bruselas, 1627». Esta hipótesis se comprueba por el texto de «Que bien sé yo la fonte». Entre ambas ediciones (Bruselas, 1627, y Colonia, 1710), prescindiendo de pormenores ortográficos y de las erratas, la coincidencia en esta composición es absoluta. Doy a continuación, tal como aparecen en «Bruselas, 1627», las estrofas que ahora para mí tienen interés. Conservo las erratas (no las abreviaturas):

Cantar de la alma que se huelga
de conocer a Dios por fe.

Que bien se yo la fuerte *(sic)* que mana y corre
Aunques de noche.

Aquella eterna fuente que esta ascondida,
Que bien se yo do tiene su manida,
Aunques de noche.

Se que no puede ser cosa tan bella,
y que cielos y tierra beuen en ella,
Aunques de noche [2].

---

[1] DECLARACION DE LAS | CANCIONES | QVE TRATAN DEL | EXERCICIO DE AMOR | ENTRE EL | *ALMA, Y EL ESPOSO* | CHRISTO.

En la qual se tocan y declaran algunos puntos y effetos de Oración Por el venerable Padre Fray Iuan de la Cruz, primer Descalço de la reforma de nuestra Señora del Carmen.

A peticiõ de la venerable Madre Aña de Iesus, siendo Priora de las Descalças Carmelitas de S. Ioseph, de Granada. Año de 1584.

IHS

EN BRUSELAS, | EN Casa de GODOFREDO | SCHOEVARTS. 1627.

(Bibl. Nac. R-7515.)

La grafía *Aña* no es sino la abreviación que la imprenta bruselense hace de *Anna* (Comp. portada del ms. de Sanlúcar).

[2] El orden de las estrofas en «Bruselas, 1627» coincide con

Las otras estrofas no contienen variación interesante con relación al texto habitual. Resulta, pues, que me había equivocado: estas variantes («fuente *que* está ascondida»...; «beben *en* ella»...) tienen una venerable antigüedad. Y la cadena de esta tradición está formada por muchos eslabones: «Bruselas, 1627», («Colonia, 1639») «Colonia, 1710», Storck, Braga, Henríquez Ureña... [1].

No tengo tanta fe en el texto de Bruselas, 1627, como en él pone Dom Chevallier. Siempre habrá que hablar con cautela, mientras no se estudie con minuciosa escrupulosidad la cuestión de los autógrafos [2]; pero si las correcciones del códice de Sanlúcar son, como parece, de mano del Santo, nada puede equivaler en autoridad a dicho manuscrito. Mas ¿cómo no tener en cuenta que el texto de Bruselas se imprime en los mismos medios en que la Madre Ana de Jesús había vivido, y muy pocos años después de su muerte?... Además, en la edición de Bruselas y en el ms. de Sanlúcar figuran, tras el comentario del *Cántico,* las otras poesías mayores, y, por último, las menores: las mismas y en orden idéntico. Ambos textos parecen, pues, proceder de un mismo ambiente, responder a un mismo plan; en una palabra: tienen sus orígenes muy próximos. ¿Cómo explicar, pues, las divergencias que entre ambos existen, lo mismo en los comentarios del *Cántico* que en las estrofas de «Aunque es de noche»?

Las dos variantes que estamos estudiando cambian los versos en que ocurren, de metro endecasílabo a ritmo de seguidilla (7 + 5). Van a coincidir, pues—y es coinci-

---

el del ms. de Sanlúcar; pero falta en la ed. bruselense la estrofa «Su origen no lo sé...»

[1] Supongo que la base de Henríquez Ureña sería Braga. Por confusión, sin duda, cita como fuente el texto de la Biblioteca de Autores Españoles, donde no existe tal variante.

[2] Es ésta cuestión espinosa. Véase *Obras de San Juan de la Cruz,* ed. del P. Silverio de Sta. Teresa, IV, págs. 427 y siguientes. Sería necesaria una perfecta reproducción facsímil de todos los posibles autógrafos. (La ed. del P. Gerardo deja mucho que desear en todos sentidos. Mucho mejor es la del códice de Sanlúcar, por el P. Silverio; y llena todas las exigencias la de los aforismos del ms. de Andújar por Baruzi. Las reproducciones que acompañan a la ed. de *Obras*..., por el P. Silverio, son a veces muy deficientes.) Después sería menester que un investigador desapasionado hiciera el cotejo de todas estas escrituras.

dencia curiosa—, con el verso inicial de la composición:

que bien sé yo la fonte | que mana y corre

Excepto estos tres, y el estribillo (de cinco sílabas), los demás, en ambas versiones, son endecasílabos.

Por otra parte, la edición de Bruselas nos da *fuente* (*fuerte* es mera errata), en vez de *fonte*. Pero hay muchas razones en pro de la forma sin diptongar.

En resumen: se trata de dos variantes de importancia, que—aunque no alteran esencialmente el planteamiento de la cuestión, tal como lo había establecido en mi libro—enmarañan aún algo más un problema que ya era difícil.

Ni huellas de estas variantes, en las supuestas ediciones «críticas» del P. Gerardo y del P. Silverio. Que unas variantes de alguna trascendencia, en una importantísima poesía de un escritor que tan pocas composiciones tiene, hayan podido ser pasadas por alto, hará escéptico, supongo, al lector de mejor fe.

¿No es hora ya de que alguien intente la verdadera —e indispensable— edición científica de San Juan de la Cruz?

INDICE

INDICE